perdão

a cura das emoções

Hernandes Dias Lopes

perdão

a cura das emoções

©2015 por Hernandes Dias Lopes

1ª edição: novembro de 2015
3ª reimpressão: janeiro de 2025

Revisão: Josemar de Souza Pinto e Andrea Filatro
Diagramação: Andréa F. M. Pereira
Capa: Maquinaria Studio
Editor: Aldo Menezes
Coordenador de produção: Mauro Terrengui
Impressão e acabamento: Imprensa da Fé

As opiniões, as interpretações e os conceitos desta obra são de responsabilidade de quem a escreveu e não refletem necessariamente o ponto de vista da Hagnos.

Todos os direitos desta edição reservados à
EDITORA HAGNOS LTDA.
Rua Geraldo Flausino Gomes, 42, conj. 41
CEP 04575-060 — São Paulo, SP
Tel.: (11) 5990-3308

E-mail: editorial@hagnos.com.br | Home page: www.hagnos.com.br
Editora associada à Associação Brasileira de Direitos Reprográficos (ABDR)

Dados Internacionais de Catalogação na Publicação (CIP)

Lopes, Hernandes Dias

Perdão: a cura das emoções / Hernandes Dias Lopes. – São Paulo: Hagnos, 2015.

ISBN 978-85-243-0504-7

1. Perdão - Aspectos religiosos 2. Cura pela fé 3. Sofrimento 4. Deus
5. Vida cristã I. Título

15-0912   CDD-234.57

Índices para catálogo sistemático:
1. Perdão - Aspectos religiosos
Angélica Ilacqua CRB-8/7057

DEDICATÓRIA

Dedico este livro ao reverendo Wilson de Souza Lopes, um pastor de almas, amigo fiel, conselheiro compassivo, estadista visionário, plantador de igreja, padrão dos fiéis, homem segundo o coração de Deus.

Sumário

Prefácio 9

Introdução 11

Capítulo 1: A natureza do perdão...... 15

Capítulo 2: A terapia do perdão...... 35

Capítulo 3: O processo do perdão 59

Conclusão 75

PREFÁCIO

Li há poucos meses um livro evangélico de um autor americano que me deixou plenamente satisfeito. Poucas vezes na minha vida li um livro tão maravilhoso e cheio de preciosos ensinamentos. Quando terminei a leitura, na última página escrevi: muito bom, excelente, graças a Deus por este livro.

O reverendo Hernandes Dias Lopes pôs em minhas mãos os originais do seu mais recente livro. Li página por página deste livro intitulado *Perdão, a cura das emoções*. À medida que me adiantava na leitura, ia confrontando os argumentos com a minha vida: recordei o passado, algumas lembranças me recrearam o espírito, outras cancelei com o sangue do Cordeiro imaculado. Avancei na leitura e cheguei à última parte, à última linha do original do *Perdão*, e escrevi: excelente livro, grande contribuição do céu através da pena brilhante do reverendo Hernandes para o nosso povo que vive em guerra no lar, na igreja e às vezes na denominação. Excelente guia para curar feridas no coração, chagas não expurgadas, conflitos que corroem. Este livro do reverendo Hernandes merece o padrão da EXCELÊNCIA. É cura interior. Ele não cura as feridas da alma, mas indica o remédio no sangue do Calvário, que apaga o incêndio do ódio, é bálsamo para a amargura com todas as suas

Prefácio

raízes contaminadoras e leva o leitor à fonte do amor em Jesus, nosso Senhor.

O autor afirma e reafirma com razão que perdoar, como disse Jesus em Mateus 18:35, não é fácil e, do ponto de vista humano, quase impossível. Realmente, se não perdoarmos, não seremos perdoados.

Há muito brincar de "perdão", muito artifício. Podemos enganar os homens; nunca, entretanto, enganar Deus, que conhece e sonda cada coração.

Nosso modelo é Cristo, e o caminho a seguir é a sua vida, que culmina com a eloquente oração do Calvário: [...] *Pai, perdoa-lhes, pois não sabem o que fazem* [...] (Lucas 23:34).

Este livro do reverendo Hernandes será um poderoso instrumento nas mãos de Deus para extirpar feridas e terminar com a infecção que causa tanto sofrimento entre o povo de Deus, aliviar vidas, libertar corações, alegrar almas abatidas e levantar os destroçados pela amargura do pecado não confessado.

O reverendo Hernandes é autor de excelentes livros, e creio firmemente que *Perdão, a cura das emoções*, nas mãos do Filho de Deus, será um remédio eficaz para milhares dentre nosso povo que sofrem e se destroem por falta de perdão.

Que o Todo-poderoso abençoe o reverendo Hernandes e seu precioso livro. Esta é a minha oração.

Enéas Tognini
(in memoriam)

Introdução

É mais fácil falar sobre perdão do que praticá-lo. C. S. Lewis disse que é fácil falar sobre perdão até que tenha alguém a quem perdoar. Amar a humanidade é fácil; o difícil é amar aqueles que nos perseguem. Amar aqueles que nos amam é fácil; o difícil é perdoar os nossos inimigos. Amar de forma genérica é fácil; o difícil é amar aqueles que cruzam o nosso caminho. Alguém disse: "Eu amo a humanidade; o que eu não tolero são as pessoas".

O perdão é uma necessidade imperativa para aqueles que desejam viver de forma saudável. O perdão é uma terapia para a alma, um tônico para o coração, uma condição indispensável para a saúde emocional e física. Muitas enfermidades deixariam de existir se aprendêssemos a terapêutica do perdão. Quem não perdoa é escravo dos seus próprios sentimentos. Quem não perdoa não é livre e não tem paz. Quem não perdoa adoece física, emocional e espiritualmente.

Eu vivi o drama mais doloroso da minha vida no dia 2 de agosto de 1982. Estava pastoreando a Primeira Igreja Presbiteriana de Bragança Paulista, São Paulo — meu primeiro ano de ministério. Minha cabeça estava cheia de ideias, e meu coração, engravidado de sonhos bonitos. Minha alma estava em festa.

Introdução

Minha vida parecia um jardim engrinaldado de flores. Eu estava entusiasmado com o ministério. A igreja crescia. Os céus estavam sendo obsequiosos à minha vida.

Entretanto, de repente, fui fuzilado por uma tempestade assoladora. Era noite. Estava chegando de uma visita a um presbítero cujo pai havia falecido naquela semana. Fui levar-lhe uma palavra de consolo. Quando retornava para casa, recebi um telefonema bombástico informando que o meu irmão Hermes, de 27 anos de idade, acabara de ser assassinado com onze golpes de faca, pelo primo da sua esposa. Essa notícia foi como um soco no meu estômago. Meu corpo tremeu. Meu coração gelou dentro do meu peito. Minha voz ficou embargada. Minha alma contorceu-se de dores. O chão fugiu debaixo dos meus pés. As lágrimas brotaram em meus olhos. As nuvens pardacentas de uma tristeza profunda invadiram meu ser. Por longo tempo fiquei em estado de choque. Mas, quando recobrei minhas forças, a primeira palavra que Deus colocou nos meus lábios foi: "Eu perdoo o assassino do meu irmão". Na verdade, eu não tinha outra opção: perdoava ou adoecia. O perdão era o único remédio capaz de libertar a minha alma do cárcere da tristeza e sarar aquela profunda ferida.

Fui criado na lavoura; minha família sempre morou na região rural. Como filho caçula, sentia-me muito inseguro quando via minha mãe ser tirada de casa e levada para o hospital em estado grave. Eu pensava que jamais conseguiria ver um membro da minha família indo para o cemitério. Por isso, orava sempre para Deus me levar primeiro. Não queria passar pela dor do luto. Esse vale era muito profundo, e eu queria contorná-lo. No ano de 1982 perdi meu irmão em agosto, e meu pai foi chamado à glória quatro meses depois, vitimado por um

Perdão, a cura das emoções

câncer. Em 1995 minha mãe partiu para a eternidade. Em 2000 meus dois irmãos mais velhos morreram num intervalo de 21 dias. Quando eu estava escrevendo este texto, minha querida sobrinha Sirlene foi vitimada por um terrível câncer aos 31 anos de idade. Hoje sei que, quando descemos ao vale da sombra da morte, Deus não nos abandona. Ele é poderoso para enxugar as nossas lágrimas. Hoje eu sei que Deus nos carrega no colo quando nossas forças estão esgotadas. Embora Deus não nos livre dos vales, ele atravessa o vale conosco. Embora Deus não nos poupe das águas revoltas, dos rios caudalosos e do fogo ardente, ele anda conosco pelos caminhos turbulentos da vida. O Senhor jamais desampara os que nele confiam.

Deus já levou meu pai, minha mãe e meus três irmãos, além de outros membros amados da família, mas nenhuma dor foi tão profunda quanto a do assassinato do meu irmão. Além da perda, há um misto de revolta e ansiedade com os desdobramentos que estão por vir. Além de administrar o vazio da saudade, precisei conter o vulcão efervescente do meu próprio coração. Uma coisa é administrarmos bem o luto por uma morte natural; outra coisa bem diferente é sentirmos um ente querido ser arrancado dos nossos braços pela violência sanguinária daqueles que conspiram contra a nossa vida. O perdão foi o caminho que encontrei para não naufragar naquele mar revolto da minha dor. O perdão foi o remédio de Deus que me deu condições de continuar a viver e prosseguir no ministério sem amargurar o coração. Embora a dor da perda tenha sido imensa, o poder do perdão foi maior. O perdão é libertador, cura a alma e é o bálsamo do céu. Ele é o remédio necessário que tonifica o coração para caminharmos sem amargura pela vida. Sem perdão a vida torna-se um fardo insuportável, e a

Introdução

alma fica prisioneira do ódio e da vingança. Sem perdão somos destruídos pelos nossos sentimentos. O perdão não é algo natural; é obra da graça de Deus em nós. Por isso, examinaremos esse tema à luz das Escrituras.

Capítulo 1
A NATUREZA DO
PERDÃO

O perdão é coisa séria. Você não tem opção: perdoa ou adoece, perdoa ou não tem paz, perdoa ou não é perdoado. Onde não há perdão, não há relacionamentos saudáveis. Somos imperfeitos. Temos falhas. Erramos uns com os outros. Sempre decepcionaremos as pessoas, e elas, por sua vez, nos decepcionarão. As pessoas roubam mais a nossa alegria do que as circunstâncias. Sofremos mais com aquilo que as pessoas nos dizem e nos fazem do que com os reveses da vida. A nossa sociedade está doente. As pessoas estão entulhadas de mágoa. Mais de 50% dos leitos dos hospitais estão ocupados por pessoas com doenças psicossomáticas.

Os conflitos estão separando as pessoas dentro da família. Esse fato não é novo; sempre existiu. Caim nutriu no seu coração inveja do seu irmão Abel. Sua inveja não apenas o destruiu, como também levou seu irmão à morte. Absalão não conseguiu superar o ódio pelo irmão Amnom. Sua mágoa foi maior do que seu amor; Absalão foi dominado pela sede de vingança, arquitetando e executando o assassinato do próprio irmão.

A natureza do perdão

Muitas famílias estão em pé de guerra. As pessoas têm o mesmo sobrenome, moram debaixo do mesmo teto, assentam-se ao redor da mesma mesa, mas estão repletas de mágoas umas pelas outras. Os tribunais estão cheios de contendas geradas no seio da própria família. São cônjuges feridos e cheios de mágoa que desistem do casamento e buscam o divórcio. São batalhas renhidas travadas por causa da guarda das crianças, por causa de herança, por causa dos bens ou pensão dos filhos. Muitas famílias estão feridas, machucadas, não porque forças hostis se levantaram de fora, mas por causa das contendas e mágoas geradas dentro delas.

Certa feita, ouvi uma mulher relatar o grande sonho que tinha para a sua lua de mel e o que tal fato lhe representava. O esperado dia chegou; vestiu-se toda de seda e preparou-se com carinho para o seu amado. Mas, ao apresentar-se a ele, esperando um gesto de ternura, de afeto, de amor, ele lhe disse: "Você está vestida como uma prostituta". Essa palavra destruiu todos os sonhos românticos daquela jovem. Aquela palavra maldita penetrou em seu coração como um veneno mortífero. Vinte anos se passaram, e a ferida ainda estava aberta. Durante todo esse tempo, ela jamais conseguira ter prazer sexual com seu marido. Movida pelas memórias amargas, acabou se entregando a uma aventura extraconjugal, buscando uma satisfação sexual que não encontrava no casamento. A falta de sensibilidade do marido gerou na esposa uma mágoa profunda, uma doença emocional crônica. A falta de perdão manteve aquela pobre mulher presa por vinte anos no calabouço do ressentimento, fazendo com que ela deixasse de usufruir das benesses do prazer conjugal, porque a amargura que lhe perturbava contaminou toda a sua vida.

Há vinte anos trabalho no ministério de aconselhamento pastoral. Tenho conversado com pessoas profundamente marcadas pela dor, pelos traumas gerados dentro da própria família. Muitas crianças foram abusadas sexualmente pelos próprios pais ou parente chegados. Os anos não foram suficientes para apagar as feridas provocadas no coração, na mente e na alma dessas vítimas. Uma jovem senhora partilhou comigo seu drama: desde criança fora usada e abusada sexualmente pelo pai. Para intimidá-la, o pai a açoitava e ameaçava matar sua mãe. Na adolescência, ela pensou no suicídio como a única forma de se ver livre das ameaças e do abuso do pai. Ao tornar-se uma moça, saiu de casa, mas não conseguia se livrar de suas memórias amargas. O ódio pelo pai atormentava sua alma, e as feridas emocionais se recusavam a sarar. As farpas da mágoa tinham infeccionado sua vida e feito com que tudo perdesse o encanto para ela. O casamento tornou-se um pesadelo. Não conseguia amar o marido. Não sentia prazer na vida sexual. Não conseguia remover da sua memória as cenas de humilhação a que havia sido submetida. Seu passado era um fantasma na sua vida. Durante anos aquela mulher viveu nesse cativeiro emocional, nessa masmorra do ressentimento. Até que um dia ela conheceu o amor de Deus, a graça de Cristo e o poder do Espírito Santo e foi salva, liberta e curada. Hoje é uma nova criatura, conseguiu perdoar o pai, amar o esposo e viver uma vida abundante e superlativa.

As contendas estão presentes também entre as nações. Não há nada mais irracional do que as guerras. Quanto sangue derramado! Quanta violência brutal! Quantos inocentes esmagados inapelavelmente! Durante a chamada peste negra na Europa, um terço da população europeia morreu. Nessa época

A natureza do perdão

os judeus foram implacavelmente perseguidos. A eles foi atribuída aquela nefanda epidemia. Aplicaram a eles sofrimentos atrozes: as mulheres grávidas apanhavam, cortavam-lhes as mãos, rasgavam seu ventre e arrancavam-lhe o feto. Batiam com o feto no rosto da mãe e depois colocavam um gato vivo dentro do seu corpo e costuravam o ventre com o animal ali dentro. As mulheres, assim, morriam em agonia indescritível.

O holocausto também foi um dos exemplos mais chocantes que a história já testemunhou. Seis milhões de judeus foram trucidados nos campos de concentração, nos paredões de fuzilamento e nas câmaras de gás venenoso. Da carne dos judeus fazia-se sabão para os soldados nazistas; dos seus cabelos faziam-se travesseiros e dos ossos foram feitas armas. Visitei algumas vezes o Museu do Holocausto, em Jerusalém. É impossível ouvir aquela dramática história, ver os filmes e as fotografias sem se entregar às lágrimas. A sanha assassina de Hitler e seus perversos aliados não pouparam nem mesmo as crianças. Um milhão e meio de crianças foram trucidadas pela truculência do ódio racial. As marcas desse crime abominável ainda estão vivas na memória do povo judeu.

As guerras étnicas e tribais têm destruído milhões de vidas. Pessoas levantam-se para matar os próprios irmãos. É só dar uma olhada nas matanças bárbaras que ocorreram na África do Sul, quando os negros foram esmagados sem piedade pelos brancos. É só olhar os massacres em Ruanda, Etiópia, Moçambique, Bósnia e em tantos outros lugares. É só observar a matança entre católicos e protestantes na Irlanda. É só observar o terrorismo covarde dos suicidas radicais que espalham morte e destruição por onde passam. É só ver o caldeirão de ódio entre palestinos e israelenses. O mundo

Perdão, a cura das emoções

é como um barril de pólvora. O ódio é uma arma mortífera e destruidora. O ódio é uma bomba fatal. Onde o ódio explode, estragos e destruição acontecem.

Contudo, muitas vezes, as contendas estão também dentro da igreja. Há tensões dentro da própria família de Deus. Há partidos e disputas no próprio arraial de Cristo. Irmãos levantam-se contra irmãos. Igrejas contra igrejas. Concílios contra concílios. Líderes contra líderes. Na igreja de Corinto havia partidos e disputas. O culto à personalidade dividiu a igreja em grupos. Em vez de construir pontes de amizade, eles levantavam muralhas de separação. Na igreja de Filipos alguns irmãos estavam trabalhando com motivações erradas. Uns trabalhavam movidos pela vanglória, buscando glória para si mesmos. Outros trabalhavam por partidarismo, querendo que os holofotes estivessem voltados sobre o seu grupo predileto (Filipenses 2:3,4). Havia até mesmo duas irmãs, Evódia e Síntique, que não pensavam concordemente na igreja (Filipenses 4:2). Paulo e Barnabé, mesmo sendo líderes da igreja, tiveram de caminhar por estradas diferentes, porque houve desacordo entre eles. Os caprichos humanos muitas vezes têm superado o próprio amor. As desavenças avançam com mais velocidade que o perdão.

Precisamos entender que somos uma comunidade de perdoados. A igreja não é uma comunidade de gente perfeita e acabada. O céu não é aqui na terra, ainda não estamos glorificados. Enquanto aqui vivermos, estaremos sujeitos às tensões próprias de uma natureza ambígua e contraditória. A igreja não é uma usina de reciclagem de lixo. É um hospital onde os doentes estão sendo curados. O perdão, portanto, não é uma opção, mas uma necessidade imperativa. O apóstolo Paulo ordenou à igreja de Corinto que retirasse da comunhão o jovem que havia

A natureza do perdão

cometido incesto (1Coríntios 5:5). A igreja não podia tolerar o pecado. Ela precisava agir com firmeza, removendo o fermento da impureza do seu meio. Mas, quando o faltoso se arrependeu, Paulo ordenou que a igreja o perdoasse (2Coríntios 2:10,11). O argumento que Paulo usou é que, se a igreja não perdoa, Satanás leva vantagem sobre ela. A mágoa congelada é uma porta aberta para a interferência de Satanás. Onde a mágoa se instala, onde a raiz de amargura cresce, onde o ódio predomina, Satanás tira proveito da situação. Há muitas igrejas amarradas e impedidas de crescer por causa do pecado da mágoa. Existem líderes entupidos de mágoa. Há muitos pastores feridos.

Eu estava pregando numa das capitais do Brasil, enquanto o pastor que estava comigo no púlpito chorava e soluçava. Ao final do culto procurei-o. Aquele irmão estava ferido, machucado. Havia sido muito maltratado naquela igreja: seus vínculos pastorais haviam sido rompidos descaridosamente; sentiu-se escorraçado pelas suas próprias ovelhas, rejeitado pelo seu próprio povo. Aquela mágoa estava atravessada no seu peito, e aquela dor ainda latejava no seu coração. A igreja estava havia vários anos sem ver pessoas salvas. A parede da inimizade havia sido erigida dentro da igreja. Há muita gente na igreja escrava de seus próprios sentimentos, impedindo o avanço da obra de Deus.

Há alguns anos preguei em uma igreja evangélica no Brasil. O pastor daquela igreja era um grande evangelista e andava muito angustiado porque naquele ano nenhuma pessoa havia se convertido na igreja. No domingo de manhã, após pregar um sermão sobre o perdão, pedi à igreja para orar de joelhos. De repente, o silêncio foi quebrado pelo choro convulsivo de duas mulheres. Elas eram líderes da igreja que estavam com o

20

Perdão, a cura das emoções

relacionamento quebrado. Nutriam mágoa uma da outra, pertenciam à mesma igreja, ouviam o mesmo pastor, participavam juntas da ceia do Senhor, mas estavam feridas, magoadas uma com a outra. Naquela manhã, Deus as restaurou. E, no culto da noite, dez pessoas entregaram-se a Cristo. O empecilho foi tirado. A pedra de tropeço foi arrancada do caminho. O perdão não apenas restaurou a comunhão daquelas duas irmãs, como também sarou a igreja.

Certa feita, preguei numa igreja evangélica fora do Brasil e depois que terminei a ministração o pastor da igreja levantou-se no púlpito e chamou um diácono para vir à frente. Enquanto aquele irmão caminhava pelo corredor da igreja, o pastor, em lágrimas, começou a abrir seu coração, deixando vazar toda a sua mágoa por aquele líder. Havia vários anos que o pastor estava sufocado por aquele sentimento destruidor. Os dois se abraçaram, choraram, reconciliaram-se, e houve um profundo quebrantamento no meio da igreja. Houve cura. Houve restauração pelo perdão.

Tenho percorrido todo o Brasil pregando em centenas de igrejas e conversado com pastores e líderes, com casais, jovens e crianças. Tenho constatado que o pecado mais presente na Igreja brasileira é o pecado da mágoa. As pessoas estão feridas emocionalmente. Os relacionamentos estão estremecidos e quebrados. Uma multidão de crentes vive o drama da desestrutura emocional provocada pela mágoa e pela falta de perdão. Muitas pessoas tentam disfarçar essa dor colocando uma máscara de alegria para esconder um coração ferido. Muitas pessoas tentam sepultar suas mágoas vivas, mas estas se levantam como fantasmas. Não adianta curar superficialmente as feridas da alma. Não adianta disfarçar ou mascarar os sentimentos

21

A natureza do perdão

adoecidos; eles precisam de cura. Somente quando perdoamos os outros e a nós mesmos podemos ser libertos e curados.

Uma pessoa que não perdoa adoece espiritual, emocional e fisicamente. Os crentes de Corinto viviam envolvidos em infindáveis contendas. Havia partidos dentro da igreja, e eles toleravam pecado no seio da comunidade, provocavam injustiça e danos uns aos outros e ainda levavam suas causas aos tribunais dos incrédulos. Faziam acepção de pessoas, entravam em disputas e querelas, por isso o apóstolo Paulo diz que muitos entre eles estavam fracos, outros doentes e havia aqueles que já estavam mortos (1Coríntios 11:30).

Tiago diz que devemos confessar os nossos pecados uns aos outros para sermos curados (Tiago 5:16). A confissão cura; a mágoa adoece. O pecado congelado no coração adoece os ossos, perturba a alma e drena as energias do corpo. Davi ficou doente, perturbado, esmagado sob o peso avassalador do seu pecado. Enquanto ele não arrancou as câmaras de horror do seu coração, enquanto não espremeu todo o pus da ferida, enquanto não escancarou as comportas da alma para esvaziar o porão sujo do coração através de uma confissão profunda e sincera, não encontrou alívio nem cura para a sua vida.

Há alguns anos fui convidado para atender a uma senhora já bem idosa. Ela estava muito deprimida. Embora sua família a cercasse de afeto, sua alma estava debaixo dos grilhões de uma profunda tristeza. No afã de ser curada da depressão crônica, ela já tinha ido a vários médicos, psicólogos e psiquiatras. Todavia, sua situação estava cada vez pior. Ao chegar àquela casa, ela pediu para ficar sozinha comigo. Então, com olhos penetrantes, com o coração espremido pela dor, ela me disse: "Pastor, eu

Perdão, a cura das emoções

sofro há sessenta anos. Cometi um pecado contra o meu noivo quando era jovem. Ele nunca soube. Já sou viúva há vários anos, e nunca ninguém soube desse meu erro. Mas esse pecado está vivo no meu coração. Eu nunca me libertei desse peso. Como um fantasma, esse pecado me atormenta dia e noite; eu não tenho paz". Aquela mulher era uma prisioneira do seu passado, estava no calabouço da depressão, sendo flagelada todos os dias pelos verdugos de uma consciência atormentada. Falei, então, do perdão de Deus, da graça de Cristo e do poder do Espírito para dar-lhe uma nova vida. Ela foi liberta. Foi curada. E começou a viver verdadeiramente livre.

Observemos o que nos diz Mateus 18:21-35:

Então Pedro aproximou-se de Jesus e perguntou: "Senhor, quantas vezes deverei perdoar a meu irmão quando ele pecar contra mim? Até sete vezes?" Jesus respondeu: "Eu digo a você: Não até sete, mas até setenta vezes sete. Por isso, o Reino dos céus é como um rei que desejava acertar contas com seus servos. Quando começou o acerto, foi trazido à sua presença um que lhe devia uma enorme quantidade de prata. Como não tinha condições de pagar, o senhor ordenou que ele, sua mulher, seus filhos e tudo o que ele possuía fossem vendidos para pagar a dívida. O servo prostrou-se diante dele e lhe implorou: "Tem paciência comigo, e eu te pagarei tudo". O senhor daquele servo teve compaixão dele, cancelou a dívida e o deixou ir. Mas, quando aquele servo saiu, encontrou um de seus conservos, que lhe devia cem denários. Agarrou-o e começou a sufocá-lo, dizendo: 'Pague-me o que me deve!' Então o seu conservo caiu de joelhos e implorou-lhe: 'Tenha paciência comigo, e eu lhe pagarei'. Mas ele não quis. Antes, saiu e mandou lançá-lo na prisão, até que

23

A natureza do perdão

pagasse a dívida. Quando os outros servos, companheiros dele, viram o que havia acontecido, ficaram muito tristes e foram contar ao seu senhor tudo o que havia acontecido. Então o senhor chamou o servo e disse: 'Servo mau, cancelei toda a sua dívida porque você me implorou. Você não devia ter tido misericórdia do seu conservo como eu tive de você?' Irado, seu senhor entregou-o aos torturadores, até que pagasse tudo o que devia. Assim também fará meu Pai celestial, se cada um de vocês não perdoar de coração a seu irmão" (NVI).

Esse texto fala-nos em primeiro lugar sobre o perdão que recebemos de Deus. Jesus ilustra a verdade sublime do perdão narrando a parábola do credor incompassivo. Há nessa parábola algumas lições dignas de destaque.

O PERDÃO QUE RECEBEMOS DE DEUS

Deus ajusta contas conosco (v. 23). Somos confrontados por Deus e precisamos prestar contas da nossa vida a ele. Deus é o supremo juiz, é justo e santo. Sua lei é perfeita e santa. Precisamos passar pelo crivo do seu reto juízo. Somos pesados na balança de Deus. Ele coloca seu prumo em nossa vida e sonda o nosso coração, vasculha as nossas emoções e examina os nossos pensamentos. Ele pesa as nossas motivações e avalia as nossas obras. Ele conhece as nossas palavras e vê os nossos passos. Ele traz à luz os sentimentos e desejos secretos do nosso coração. Estamos aquém de suas exigências. Somos todos devedores.

Temos uma dívida impagável (v. 24). Jesus usou uma hipérbole ao falar sobre a dívida desse homem. Ele devia 10 mil talentos. Era impossível que uma pessoa devesse naquela

Perdão, a cura das emoções

época 10 mil talentos. Um talento equivale a 35 quilos de ouro ou prata. Dez mil talentos equivalem a 350 mil quilos de ouro ou prata. Todos os impostos da Judeia, Pereia, Samaria e Galileia durante um ano eram de 800 talentos. Dez mil talentos representavam todos os impostos da nação por treze anos. O que Jesus queria enfatizar é que aquele homem possuía uma dívida impagável. Ganhando 1 denário por dia, ele precisaria trabalhar 150 mil anos para pagar a sua dívida. A promessa do devedor de quitar sua dívida era absolutamente impossível de ser cumprida. Isso significa que nenhum ser humano pode saldar a sua dívida com Deus. Nenhum ser humano pode satisfazer as demandas da justiça de Deus. Nenhum homem pode cumprir a lei de Deus. A lei é santa, mas somos pecadores. A lei é espiritual, mas somos carnais. A lei é perfeita, mas somos cheios de ambiguidade e contradições. Assim, todos nós carecemos da misericórdia de Deus para sermos perdoados. O perdão não é algo que merecemos, mas dádiva de Deus da qual precisamos.

O perdão de Deus é ilimitado. Um só pecado seria suficiente para nos condenar à perdição eterna. Deus expulsou do céu o querubim da guarda, Lúcifer, por causa de um único pecado. Deus é justo. Ele não inocenta o culpado. O salário do pecado é a morte, e a alma que pecar, essa morrerá. Assim, o pecado merece o justo castigo de Deus. Como não podemos expiar as nossas próprias culpas, nem nos purificar dos nossos próprios pecados, nem mesmo podemos mudar nossas próprias atitudes, precisamos do perdão de Deus como uma necessidade vital em nossa vida. Pecamos por palavras, obras, omissão e pensamentos. O nosso pecado é maligno demais, provoca a ira santa de Deus e nos separa dele. Deus é luz e não tem comunhão com as

A natureza do perdão

trevas. Deus é santo e não pode contemplar o mal. O pecado é a maior tragédia em nossa vida. O pecado é pior do que a pobreza, do que o sofrimento, do que a doença e pior até mesmo do que a própria morte. Todas essas coisas não podem nos separar de Deus, mas o pecado nos separa dele. Como não podemos nos reconciliar com Deus por nossa própria iniciativa, visto que a inclinação da nossa carne é inimizade contra Deus, em virtude de estarmos mortos em delitos e pecados, o perdão é uma iniciativa exclusiva de Deus. Nós não merecemos o perdão, mas precisamos dele. Jesus Cristo como o nosso representante e fiador, quitou a nossa dívida, rasgou o escrito de dívida que era contra nós e o encravou na cruz. Agora, nossa dívida está paga. Estamos justificados. Nenhuma condenação há mais para nós. Estamos perdoados. O perdão que recebemos de Deus é ilimitado. Não pesa mais nenhuma condenação sobre nós no tribunal de Deus. Nossos pecados passados, presentes e futuros foram cancelados. Cristo não apenas pagou a nossa dívida, mas também depositou em nossa conta toda a sua infinita justiça. Quando Deus nos olha agora, ele vê em nossa conta a justiça perfeita do seu bendito Filho.

O perdão de Deus é incondicional. O servo disse: *Tem paciência comigo, e eu te pagarei tudo!* Essa é uma promessa impossível de ser cumprida, pois jamais pagaremos a nossa dívida com Deus. Ela é impagável. Assim como o etíope não pode mudar a sua pele nem o leopardo remover as suas manchas, também não podemos apagar os nossos próprios pecados. Consequentemente, o perdão de Deus precisa ser incondicional. Nós não merecemos o perdão de Deus. Ele nos amou quando éramos pecadores, escolheu-nos quando éramos um tição tirado do fogo, atraiu-nos para si quando éramos inimigos e

Perdão, a cura das emoções

nos deu vida quando estávamos mortos. Jesus perdoou os seus algozes que o pregaram na cruz. O Filho de Deus foi zombado, escarnecido, cuspido, açoitado, fustigado. Ele carregou a cruz publicamente sob o apupo de uma multidão tresloucada e sedenta de sangue. Ele foi cravado na cruz como um criminoso. Seus inimigos insultavam-no mesmo depois de suspendê-lo no leito vertical da morte. Apesar da crueldade inumana, Jesus não apenas pediu que o Pai perdoasse seus malfeitores, mas também atenuou-lhes a culpa, dizendo que eles não sabiam o que faziam. O perdão de Deus é incondicional. Ele perdoou um mentiroso como Abraão, um adúltero como Davi, um feiticeiro assassino como Manassés, um covarde como Pedro, uma prostituta como Maria Madalena. Ele perdoa pecadores miseráveis como você e eu.

O perdão de Deus é completo (v. 27). O homem que devia 10 mil talentos foi completamente perdoado. Ele recebeu o perdão de uma dívida imensa, impagável. A dívida que foi quitada completamente. Assim também é o perdão de Deus. É completo. É total. É cabal. Nada mais resta para ser pago. Assim como o Oriente está distante do Ocidente, assim também Deus afasta de nós as nossas transgressões. Deus desfaz os nossos pecados como a névoa, lança-os para trás de suas costas e deles não mais se lembra. Ele lança os nossos pecados nas profundezas do mar e nos proíbe de dragar essas profundezas. Dívida perdoada é dívida cancelada. Deus nunca mais lança em nosso rosto os pecados que ele nos perdoa. Ele não cobra mais uma dívida que perdoou. Seu perdão é completo.

O perdão de Deus é baseado na sua compaixão (v. 27). O perdão de Deus não está baseado em nossos méritos, em nossas obras ou em nossos predicados morais. O perdão de Deus

27

é livre. A causa do perdão de Deus está nele mesmo. Deus nos perdoa não porque merecemos ou porque fazemos algo que lhe agrada. O perdão de Deus é pura graça. Ele nos perdoa por causa da sua infinita compaixão. Na verdade "sua graça é maior do que o nosso pecar." Um professor de Escola Bíblica Dominical ministrava todos os domingos a um grupo de crianças carentes de uma favela. As crianças viviam expostas a uma miséria extrema — eram desprovidas das coisas elementares. Certo dia, aquele professor, condoído da situação de um aluno, resolveu comprar algumas roupas e calçados e levar à sua casa. Quando o professor estava se aproximando, o menino, que ainda guardava os resquícios de sua vida rebelde, jogou uma pedra no homem que trazia os pacotes de presentes. A pedra alvejou o professor e o feriu. Após ser tratado no hospital, o professor voltou com os mesmos presentes à casa do menino. O pai, com receio, o recebeu. O professor, então, disse: "Eu vim trazer esses presentes para o seu filho". No mesmo dia, aquele pai, envergonhado, pegou seu filho pelo braço e o levou à casa do professor e lhe disse: "Eu vim devolver os presentes que o senhor deu ao meu filho. Foi meu filho quem atirou a pedra no senhor. Meu filho não merece esses presentes". O professor, porém, de pronto lhe respondeu: "Seu filho não merece, mas ele precisa". Assim também é o perdão que Deus nos dá. Nós não o merecemos, mas precisamos desesperadamente do perdão de Deus.

O perdão de Deus não é barato. O justo não pode condescender com o pecado. A justiça não conhece o indulto. O culpado não pode ser inocentado. O pecado não pode ficar sem punição. O salário do pecado é a morte. A única forma de Deus nos perdoar foi ele mesmo sofrer as consequências do nosso pecado. Deus lançou os nossos pecados sobre seu Filho. Jesus se fez

Perdão, a cura das emoções

pecado por nós. Ele foi feito maldição por nós, bebeu o cálice da ira de Deus por nós e tomou sobre si as nossas transgressões. Levou sobre si as nossas dores e carregou a nossa culpa. Pagou o preço por nós e morreu a nossa morte, derramou a sua alma na morte para adquirir a nossa eterna redenção. Ele satisfez a justiça de Deus e cumpriu com todas as demandas da lei de Deus. Através do sacrifício de Cristo, o Deus justo também é justificador dos que creem. O nosso perdão custou muito caro para Deus. Custou tudo para ele. Custou a vida do seu próprio Filho. Deus não poupou seu próprio Filho. Deus o desamparou na cruz, para nos perdoar. Deus o fez adoecer e o moeu na cruz para que recebêssemos o perdão.

O perdão que devemos dar. O mesmo homem que fora perdoado de uma dívida impagável de 10 mil talentos encontra agora um conservo que lhe devia 100 denários, um valor insignificante, e não perdoa. Um denário era equivalente ao salário de um dia de trabalho naquela época, e 1 talento, a mais de 5:400 denários. Dez mil talentos representavam 150 mil anos de trabalho a 1 denário por dia. Cem denários representavam apenas três meses de trabalho. A diferença entre as duas dívidas era imensa. Aquele que fora perdoado de uma soma colossal não consegue perdoar um valor irrisório. Aquele que fora alvo de imensa compaixão não consegue ser compassivo com o seu conservo. A lição que Jesus nos ensina nessa parábola é que recebemos de Deus um perdão infinitamente maior do que aquele que devemos conceder a quem nos deve. Jesus também deixa claro que um coração que não perdoa não pode ser perdoado. À luz do texto, a falta de perdão traz sérias consequências.

A falta de perdão é sinal de ingratidão a Deus (v. 32). Jamais conseguiremos entender o perdão, a menos que tenhamos

A natureza do perdão

consciência do perdão que recebemos de Deus. Cem denários é 600 mil vezes menor do que 10 mil talentos. O credor incompassivo não perdoou seu conservo porque não compreendeu a grandeza do perdão que havia recebido. Assim somos nós. Não conseguiremos ministrar perdão às pessoas que nos devem, que nos ofendem, se não atentarmos para a imensidão do perdão que recebemos de Deus. Quando sonegamos perdão às pessoas que nos ofendem, estamos sendo ingratos a Deus. Quando recusamos perdoar alguém, estamos fazendo pouco caso do imenso perdão que recebemos de Deus.

A falta de perdão desperta a ira de Deus (v. 34). Quando recusamos perdoar alguém, ofendemos Deus e provocamos a sua ira, pois ele nos perdoou sem nenhum merecimento nosso. Seu perdão foi um ato de compaixão e graça. O perdão não é uma questão de justiça, nem o pagamento de uma dívida, mas o seu cancelamento. Sempre que fechamos o nosso coração para sonegar perdão, provocamos a ira de Deus. Uma pessoa que não perdoa é imperdoável e está debaixo da ira de Deus. Uma pessoa que não perdoa está excluída da bem-aventurança eterna. O céu é o lugar dos perdoados, e quem não perdoa não pode entrar no céu.

A falta de perdão gera profunda tristeza às pessoas (v. 31). Onde o coração se fecha para o perdão, não floresce a alegria da comunhão. Onde prevalece a mágoa, morre o amor. A falta de perdão destrói relacionamentos, intoxica o ambiente, abre feridas no coração daquelas pessoas que vivem à nossa volta e gera grande tristeza. Uma pessoa cheia de mágoa contamina o ambiente em que vive. A Bíblia diz que a raiz de amargura perturba e contamina. Uma pessoa empapuçada de mágoa é alguém que não tem paz. Uma pessoa que não perdoa vive perturbada

Perdão, a cura das emoções

pelos seus próprios sentimentos. Além disso, uma pessoa que não perdoa contamina as pessoas à sua volta. A mágoa é um gás venenoso que vaza e destrói as pessoas ao redor; a falta de perdão gera tristeza e sofrimento não apenas para a pessoa que o acolhe, mas também para aqueles que convivem com ela. O ódio é como um vulcão em erupção cujas lavas espalham como ácido destruidor.

A falta de perdão aprisiona tanto o ofensor quanto o ofendido (v. 30,34). Quando nutrimos mágoa no coração, tornamo-nos prisioneiros dos nossos próprios sentimentos. A falta de perdão é uma masmorra, uma prisão e um calabouço da nossa própria alma. Quando deixamos de perdoar, aprisionamos as pessoas e também ficamos cativos. Tornamo-nos escravos da pessoa a quem odiamos. Não nos libertamos da pessoa por quem sentimos mágoa. Uma pessoa magoada vive acorrentada pelos sentimentos de desafeto. Sua mente não sossega, seu coração não descansa, sua alma não tem paz. Uma pessoa que não perdoa vive no cabresto de suas paixões, vive acorrentada e dominada pela própria pessoa a quem quer descartar. Quando nos fechamos para o perdão, somos lançados numa terrível prisão emocional, numa escura e infecta cadeia espiritual. A falta de perdão faz com que o nosso íntimo esteja sempre em ebulição. A falta de perdão é como uma tempestade na alma. Essa atitude desestabiliza a vida, adoece os relacionamentos, fere o coração, enfraquece o corpo, abala as emoções e destrói o relacionamento com Deus.

A falta de perdão produz flagelo (v. 34). O credor incompassivo foi entregue aos verdugos até saldar sua dívida. Como sua dívida era impagável, ele foi flagelado durante toda a sua vida. Quem são os verdugos? Os verdugos são os flageladores da

A natureza do perdão

consciência. Quem não perdoa não tem paz. Quem não perdoa vive atormentado pela culpa, pelo ódio, pela mágoa. Quem não perdoa não é livre. Quem não perdoa vive debaixo do chicote do tormento emocional. A falta de perdão traz desespero e flagelo para a alma. Torna a vida amarga e insuportável. Quem não perdoa não é feliz. Quem se alimenta de ódio morre asfixiado pelo seu próprio veneno. Os verdugos também podem ser os demônios. O ódio congelado no coração é uma porta aberta para o inimigo. O diabo e seus demônios são carrascos que flagelam e torturam os seus súditos. Existem muitas pessoas que vivem sob o cabresto do diabo, sendo flageladas pelos demônios por carregarem no peito um coração cheio de mágoa e vazio de perdão. A falta de perdão pavimenta a vitória do diabo na vida das pessoas (2Coríntios 2:10,11).

A falta de perdão fecha as porta da misericórdia de Deus (v. 35). Quem não perdoa aos seus ofensores não recebe perdão de Deus (Mateus 6:14,15). Deus nos trata como tratamos os nossos ofensores. Se fecharmos o nosso coração para o próximo, sonegando-lhe o nosso amor e retendo-lhe o perdão, fecharemos as comportas da misericórdia de Deus sobre a nossa própria vida. Quem não perdoa não pode adorar a Deus (Mateus 5:23-26). Não podemos amar a Deus e odiar o nosso irmão. Não podemos ter comunhão com Deus e viver brigados com um irmão. Não podemos ter o caminho aberto da intimidade com Deus se construímos barricadas no nosso relacionamento com o nosso próximo. Antes de Deus aceitar o nosso culto, ele precisa aceitar a nossa vida. Deus rejeitou Caim e a sua oferta. Antes de olhar para a oferta de Caim, Deus viu seu coração cheio de inveja, mágoa e ódio pelo seu irmão Abel. Deus rejeitou o culto de Caim porque primeiro rejeitou a sua própria vida. Quem não

32

Perdão, a cura das emoções

perdoa não consegue orar com eficácia (Marcos 11:25). A falta de perdão destrói a nossa relação com Deus e consequentemente impede que as nossas orações sejam ouvidas. Um coração cheio de ódio está completamente vazio do espírito de sua súplica. Um coração azedo e magoado não consegue orar com eficácia. Ainda que ore, suas orações serão interrompidas. Quem não perdoa não tem saúde (Tiago 5:16). O ódio recalcado eleva a pressão arterial, perturba o trabalho digestivo, provoca úlcera no estômago, conduz a um esgotamento nervoso, tira o apetite, rouba o sono e provoca infarto. Quem vive fervendo por dentro morre aos poucos. Quem não extirpa o pus infeccioso da mágoa adoece emocional, espiritual e fisicamente.

CAPÍTULO 2
A TERAPIA DO
PERDÃO

O perdão produz cura. Ele é remédio. A mágoa adoece, e o ódio mata, mas o perdão cura. Ele é terapêutico. Sem o exercício do perdão, a vida se fossiliza. Mais de 50% das enfermidades são psicossomáticas. São geradas por emoções turbulentas, por relacionamentos estremecidos, por mágoas não tratadas, por traumas não resolvidos. Há muitas pessoas doentes emocionalmente em nossos dias que foram vítimas de abandono, que foram traídas pelo cônjuge, abusadas sexualmente na infância pelos próprios pais. Há pessoas que nunca se libertaram do seu passado de dor e nunca saíram da masmorra emocional em que foram jogadas.

Certa feita eu conversava com uma mulher que fora abusada sexualmente pelo próprio pai. Durante anos ela conviveu com o drama de ver o pai espancando a mãe. Quando se tornou mocinha, o pai começou a espancá-la também e mais tarde passou a abusar dela sexualmente. Sob ameaças de tortura e morte, aquele pai criminoso e torpe manteve em suas garras uma jovem indefesa. Aquela menina cresceu com ódio

A terapia do perdão

no coração. Quando se viu livre dos tentáculos do pai, saiu de casa, mas tornou-se prisioneira dos seus sentimentos. Casou-se, mas os traumas da infância e da juventude ergueram-se como uma muralha em seu relacionamento conjugal. O ódio do pai não a deixava amar o marido. Os abusos do pai não permitiam que tivesse prazer sexual no casamento. As feridas do passado não lhe permitiam viver com liberdade no presente. Ela estava livre das ameaças do pai, mas não dos sentimentos que a destruíam. Só quando aquela jovem tratou sua própria alma, alforriou seu próprio pai no coração oferecendo-lhe um perdão incondicional, conseguiu libertar-se para amar seu marido e ter uma vida feliz.

Há muitas pessoas que vivem em cativeiro emocional, atormentadas pela culpa, porque nunca se perdoaram. São pessoas cativas de si mesmas; não conseguem conviver com a própria consciência. Vivem prisioneiras de seus próprios sentimentos. Elas nunca conseguiram entender o perdão de Deus nem tomar posse dele. Eleny Vassão, capelã do Hospital das Clínicas de São Paulo, narra uma dramática experiência vivida por Doralice, uma jovem de 17 anos que, procurando fugir dos dramas da sua própria vida, buscou a autodestruição tomando soda cáustica. Ela foi levada às pressas ao hospital, pois suas entranhas estavam sendo corroídas pelo veneno mortífero, porém os médicos prontamente se mobilizaram para salvá-la. Ela passou por várias cirurgias, e os milagres da medicina e a perícia das sofisticadas intervenções cirúrgicas salvaram a sua vida. Ela recebeu alta, e o médico que liderou a equipe cirúrgica preparava-se para um congresso, no qual, com orgulho, narraria as façanhas e o sucesso das cirurgias feitas em Doralice. Nos momentos que antecediam sua viagem, o telefone da sua casa tocou. Do outro

Perdão, a cura das emoções

lado da linha uma pessoa disse com voz embargada: "Doralice acaba de suicidar-se". O médico cancelou a viagem, foi à casa de Doralice, debruçou-se sobre seu corpo sem vida, chorou e disse: "Doralice, perdoe-me. Eu cuidei de você apenas como um caso da medicina, tratei-a apenas como um corpo corroído pela soda cáustica, mas não notei que você carregava um coração machucado pela dor e uma alma ferida pelo sofrimento. Minhas cirurgias foram capazes apenas de curar as feridas do seu corpo, mas não de lancetar os abscessos da sua alma".

Há muitas pessoas que vivem uma paródia da vida porque nunca conseguiram perdoar a si mesmas. Vivem desassossegadas, atormentadas pelos traumas da infância, pelos abusos sofridos no passado; vivem sob o flagelo da culpa, debaixo da opressão do medo. Outras carregam no peito um coração arrebentado pelas injustiças sofridas no passado. Nunca conseguiram se libertar das lembranças, das memórias amargas, dos acontecimentos trágicos que trouxeram dor, vergonha e sofrimento. Essas pessoas tentaram disfarçar as feridas abertas colocando uma máscara protetora. Certa vez, quando pregava em um congresso, fui abordado por uma mulher sorridente, extrovertida e comunicativa. Ela perguntou-me: "Você está vendo esse sorriso aberto que trago no rosto?" Eu respondi: "Claro que sim". Então concluiu: "Esse sorriso é uma farsa, é uma mentira, uma máscara. Eu escondo atrás desse sorriso uma alma ferida, um coração machucado, um peito encharcado de mágoa".

O perdão é o instrumento de Deus para nos libertar do cativeiro da mágoa. Sem perdão a vida se torna uma arena de opressão, um beco de morte, um patíbulo de tortura. O perdão é a terapia de Deus para curar as feridas mais profundas, para construir pontes sobre os abismos mais tenebrosos.

A terapia do perdão

Uma das histórias mais comoventes sobre o poder terapêutico do perdão vem dos anais da Segunda Guerra Mundial. Na manhã do dia 7 de dezembro de 1941, Mitsuo Fuchida comandou o avassalador ataque japonês contra a frota naval americana no porto de Pearl Harbor. Foi um ataque fulminante, repentino, devastador. Formou-se no mar uma densa coluna de fumaça. Os navios americanos foram destroçados. Milhares de norte-americanos foram esmagados inexorável e inapelavelmente, sem chance de reação. O prejuízo foi imenso, as perdas irreparáveis, a dor profunda. Aquele dia apanhou o povo americano de surpresa. Quando as emissoras de rádio anunciaram o trágico ataque japonês, a maioria do povo americano estava dentro dos templos nos cultos matinais. Mas a reação de um soldado chamou a atenção de todos. Jack de Shaze, tomado por um zelo nacionalista, encharcou o peito de ódio e se dispôs a bombardear a cidade de Tóquio. Quando tentava realizar seu projeto de vingança, seu avião foi abatido pelos japoneses e ele foi capturado. Na prisão foi torturado com requintes de crueldade. Sofreu fome, sede, torturas físicas e emocionais a ponto de quase chegar à loucura. No auge do seu desespero, quando já estava quase sucumbindo à violência dos adversários, ele pediu algo para ler. Deram-lhe uma porção do Novo Testamento, e ele leu o texto em que Jesus ensinou a amar os inimigos e a orar pelos que nos perseguem. Essa palavra de Jesus caiu com poder em seu coração. Deus esvaziou seu coração de todo o ódio. Sua alma foi liberta e convertida, e Jack de Shaze experimentou o poder do perdão invadindo a sua vida. No dia 6 de agosto de 1945 os Estados Unidos lançaram sobre Hiroshima e Nagasaki a bomba atômica que destruiu completamente aquelas cidades, o que pôs fim à Segunda Guerra Mundial. Fuchida escapou por um milagre da providência divina, pois na noite anterior

Perdão, a cura das emoções

ao ataque ele saíra de Hiroshima e assim poupou sua vida. Jack de Shaze, após sua libertação da prisão, voltou aos Estados Unidos, estudou em um instituto bíblico e se preparou para voltar ao Japão como missionário. Em 1950 Jack de Shaze retornou a Tóquio como embaixador de Cristo, como pregador das boas-novas, como mensageiro da paz, como arauto da salvação. Não como pregador da vingança, mas do perdão.

Ao chegar ao Japão, Jack de Shaze escreveu seu testemunho de conversão na prisão japonesa e o distribuiu em larga escala em Tóquio. Certo dia, Mitsuo Fuchida recebeu um desses folhetos. Ao ler sobre a conversão daquele soldado inimigo, e acerca do perdão, seu coração foi tocado, e ele também se rendeu a Jesus. Após sua conversão, Fuchida encontrou-se com Jack, e ambos se abraçaram como irmãos em Cristo e se reconciliaram. Jesus havia transformado a vida de ambos. Jesus havia removido o ódio e enchido o coração deles de amor. O perdão superou a mágoa. Em uma grande cruzada evangelística realizada em Tóquio, aqueles dois inimigos de outrora subiram à plataforma e deram testemunho do poder do perdão em sua vida. O perdão traz cura e restauração. O perdão é remédio do céu para a alma angustiada.

O QUE É PERDÃO?

O perdão não é algo natural. O perdão não é fácil. O perdão é resultado da graça de Deus em nós. Perdoar é parar de culpar alguém por uma ofensa. Perdoar é abrir mão da dívida que a pessoa nos deve. Perdoar é deixar a pessoa ir em liberdade e ficar livre. É alforriar o ofensor em nosso próprio coração. Perdoar é desistir de ser juiz da vida alheia. Perdoar é rasgar

A terapia do perdão

o escrito de dívida que a pessoa nos deve. Perdoar é lançar as transgressões dos nossos ofensores no mar do esquecimento. O perdão é a amnésia do amor, é o beijo da restauração, é o abraço da reconciliação, é a festa da celebração da vida.

O perdão não é uma atitude natural. O que lateja em nossas veias e pulsa em nosso coração é a lei da vingança, do troco, do olho por olho e dente por dente. O homem esquece naturalmente as amabilidades e os favores das pessoas, mas lembra-se sempre das suas ofensas. No mundo greco-romano a vingança era uma virtude, e o perdão, um sinal de fraqueza. O cristianismo, entretanto, exalta o perdão, exige o perdão e pratica o perdão. É fácil amar as pessoas quando elas nos amam e é natural odiá-las quando elas nos perseguem. Contudo, só Deus pode nos capacitar a amar e perdoar aqueles que nos perseguem. O perdão não é simplesmente uma questão de ação, mas de reação. Muitas pessoas são capazes de viver em paz com aqueles que as tratam com amor, mas incapazes de perdoar aqueles que as prejudicam. A vida cristã não é apenas uma questão de ação, mas sobretudo uma questão de reação. Jesus ilustra isso no Sermão do Monte. Ele diz que quando uma pessoa nos ferir a face direita, devemos voltar-lhe a outra face. Quando a pessoa nos força a andar uma milha, devemos ir com ela duas milhas. E quando ela procurar nos tirar a capa, devemos dar-lhe também a túnica. O que, na verdade, Jesus estava ensinando? Ele não estava falando de ação, mas de reação. O que representam essas três figuras apresentadas por Jesus? Primeiro, quando uma pessoa nos fere no rosto, ela agride a nossa honra. Segundo, quando uma pessoa nos força a fazer o que não desejamos, ela agride a nossa vontade. Terceiro, quando uma pessoa nos toma as vestes pessoais, ela agride o nosso bem mais íntimo e

Perdão, a cura das emoções

sagrado. Jesus, então, realça que, mesmo que pontos vitais sejam atingidos, como a honra, a vontade e os bens inalienáveis, devemos reagir transcendentalmente, ou seja, com perdão. O perdão é a transcendência do amor. É vencer o mal com o bem. Perdoar é tratar o outro não como ele merece, mas segundo a misericórdia exige. O perdão não é a execução da justiça, mas o braço estendido da misericórdia. Perdoar é abrir mão dos seus direitos. Perdoar é colocar o outro na frente do eu. Perdoar é não se ressentir do mal, mas vencer o mal com o bem, abençoando o próprio malfeitor.

Jesus sofreu a maior de todas as injustiças. Ele, como Filho de Deus, foi aviltado pelos filhos dos homens. Como rei do universo, foi escarnecido pelos escravos do pecado. Ele, que sempre foi honrado pelos anjos, recebeu cusparadas dos homens. Ele, que andou por toda parte fazendo o bem, teve suas mãos rasgadas pelos cravos. Ele, cujos pés caminharam pelas estradas empoeiradas da Palestina curando os doentes, libertando os cativos, trazendo esperança para os desesperançados, teve os pés cravados na rude cruz. O Filho de Deus foi açoitado, humilhado, cuspido, ferido, e no topo do Gólgota, em vez de fuzilar seus inimigos com sua ira santa, rogou ao Pai que lhes perdoasse e ainda lhes atenuasse a culpa.

O PROCESSO DO PERDÃO

O Senhor Jesus, em Lucas 17, mostra-nos alguns princípios sobre o processo do perdão. Jesus é o mestre dos mestres por causa da excelência dos seus ensinos, por causa da majestade de seus métodos, e sobretudo por causa da sublimidade do seu exemplo. Jesus não foi um teórico sobre o perdão. Ele

41

A terapia do perdão

praticou o perdão. O processo do perdão passa por quatro etapas importantes:

Cautela — Antes de ministrar aos seus discípulos sobre o perdão, Jesus mostrou a necessidade imperativa de termos cautela. Antes de curar as feridas de um relacionamento pela terapia do perdão, precisamos ter cautela. Por quê? Para não sermos injustos, duros e descaridosos ao tratarmos com as pessoas. Precisamos ter sensibilidade para não ferir ainda mais as pessoas que já estão machucadas. Há pessoas que, antes de pedir ou oferecer perdão, esmagam a outra pessoa já ferida pela culpa. A Bíblia diz que Jesus não esmaga a cana quebrada nem apaga o pavio que fumega. Precisamos tratar as pessoas com muito cuidado, com muito tato, com muita cautela. O apóstolo Paulo diz que, se um irmão for surpreendido em alguma falta, devemos corrigi-lo com espírito de brandura. A palavra "corrigir" vem da medicina e significa engessar um osso quebrado. Um osso fraturado precisa ser tratado com muito jeito, pois ele já está dolorido e traumatizado. Assim são os relacionamentos. A Bíblia diz que a palavra branda desvia o furor, mas a resposta áspera provoca a ira. Sem cautela cavaremos fossos de mágoa no coração das pessoas, em vez de construirmos pontes de reconciliação.

Jesus sempre tratou com muito carinho as pessoas feridas. Os fariseus apanharam uma mulher em flagrante adultério. Arrastaram-na no meio da multidão e jogaram-na aos pés de Jesus. Trataram-na como um objeto descartável. Jesus, porém, não a expôs ao ridículo nem levantou o dedo acusador para reprová-la em público. Jesus dispensou seus acusadores, tocando-lhe a consciência culpada, e a alforriou com o seu bondoso e afável perdão.

Perdão, a cura das emoções

Jesus restaurou o apóstolo Pedro depois de um vergonhoso fracasso. Pedro havia prometido ir com Jesus para a prisão e inclusive sofrer a própria morte por Cristo. Afirmou que, ainda que todos os discípulos o abandonassem, ele jamais o faria. Mas, embora Pedro estivesse sendo sincero, estava confiando nele mesmo e fracassou. Quando Jesus foi preso, Pedro fugiu. Passou a seguir Jesus de longe e se misturou com a turba que zombava e escarnecia do mestre. Não tardou para que Pedro começasse a negar Jesus, a jurar que não o conhecia e até mesmo a praguejá-lo. Jesus olhou para Pedro e o apanhou no flagrante de sua covarde negação. Pedro desatou a chorar. Sua alma ficou atormentada. Um nevoeiro denso desceu sobre a vida de Pedro e mergulhou sua alma em uma profunda crise. Pedro negara seu nome, suas convicções, seu apostolado e seu Senhor. Chegou mesmo a pensar em desistir. Voltou às redes. Voltou ao passado. Embora Pedro houvesse desistido de Jesus, ele não desistiu de Pedro e foi ao encontro dele. E no mar da Galileia, onde Pedro havia sido chamado para o apostolado, Jesus o restaurou, curando suas memórias amargas, seu coração ferido, devolvendo-lhe a paixão pelo ministério. Jesus não disse uma palavra sequer de reprovação a Pedro, não fez nenhum discurso de acusação contra ele. Jesus não esmagou a cana quebrada; antes o restaurou e o perdoou.

Confrontação — O perdão não é fuga do problema, mas enfrentamento. Perdoar não é deixar no molho do esquecimento as pendências e os problemas não resolvidos. O perdão exige confronto. Com isso Jesus está desmantelando duas ideias falsas e mentirosas acerca do perdão.

A primeira delas é que *o tempo é um santo remédio para curar relações estremecidas*. O tempo não é atenuante, mas

A terapia do perdão

agravante. Ele não alivia a dor, mas a intensifica. O tempo produz raiz de amargura, e não o fruto do perdão. O tempo provoca gangrena, e não cura. O tempo adoece ainda mais as relações, e não as restaura. Afasta as pessoas em vez de aproximá-las. O tempo cauteriza a consciência em vez de despertá-la. Adia o inadiável, deixa para depois o que carece de cura imediata. Os irmãos de José pecaram contra ele. Odiaram-no, jogaram-no num poço profundo, fingiram não ouvir seu clamor e venderam-no como uma mercadoria. Mataram-no no coração e encenaram sua morte aos olhos de Jacó. Conviveram com essa abominável injustiça e com essa clamorosa mentira cerca de treze anos. A despeito do sofrimento e das lágrimas do pai, jamais romperam o silêncio para confessar o terrível crime que praticaram. Viveram uma farsa, uma mentira, durante muitos anos. Usaram a máscara da hipocrisia para enganar o próprio pai, oferecendo-lhe uma falsa consolação para uma ferida que eles mesmos haviam feito. O tempo não foi capaz de produzir arrependimento nem de aliviar-lhes a consciência culpada. O tempo manteve-os prisioneiros de si mesmos. O tempo amargou ainda mais o coração deles.

Depois de vinte anos, os irmãos de José desceram ao Egito, pois estavam assolados pela fome. José não era agora um prisioneiro, mas o governador daquele grande e opulento império. José reconheceu-os e começou a traçar um projeto para despertar-lhes a consciência adormecida e culpada. Eles, então, trouxeram à tona as memórias daquele terrível pecado de traição e ódio. Tornaram-se prisioneiros de seus próprios sentimentos e reconheceram que os anos passados não puderam apagar as marcas daquela horrenda injustiça cometida contra José.

Antes de José perdoá-los, ele os levou à consciência do pecado. A confrontação precede o perdão. O tempo não pôde libertá-los da culpa, mas a confrontação movida pelo amor trouxe-lhes cura e libertação.

A segunda ideia acerca do perdão é que *o silêncio é a voz do perdão*. O silêncio é a voz da amargura, e não do perdão. O silêncio apenas cobre de cinzas a ferida aberta, mas não provoca uma cura terapêutica. O silêncio sufoca a alma, amargura o coração e provoca distúrbios profundos na vida emocional. Cobrir uma ferida contaminada é um risco fatal.

Sepultar um problema vivo é um procedimento arriscado. Armazenar no peito a dor que sufoca, sem extravasá-la, gera doença, e não cura; abatimento da alma, e não libertação.

Às vezes as pessoas tentam encobrir a culpa por meio de ativismo, vida agitada, trabalho excessivo, festas e viagens. Mas nada remove a culpa. Pilatos tentou lavar as mãos e arrancar do seu peito a culpa que o esmagava por ter entregado Cristo para ser crucificado depois de estar convencido da sua inocência. Ele tentou driblar sua própria consciência, tentou fugir das consequências do seu pecado. Mas nem toda a água do oceano poderia apagar as manchas do seu pecado e aliviar a sua consciência culpada. O rei Davi tentou esconder seu pecado de adultério e assassinato e calar a voz da confissão sincera. Mas enquanto ele calou os seus pecados, os seus ossos envelheceram pelos seus constantes gemidos todo o dia. A mão de Deus começou a pesar sobre ele, e o seu vigor tornou-se em sequidão de estio. Enquanto não destrancou as câmaras de horror do seu coração, não foi perdoado nem liberto (Salmos 32:3).

A terapia do perdão

Jean-Jacques Rousseau escreveu o livro *Confissão* perto do fim da sua vida. Nele conta como quarenta anos antes, morando como estudante com uma família, roubou um objeto e colocou a culpa na empregada. Quarenta anos depois disse que a lembrança do seu pecado era cada vez mais vívida. Quarenta anos não foram suficientes para apagar a culpa.

Muitas pessoas gastam rios de dinheiro para aliviar a culpa. Alguns profissionais da psicologia dizem: "Não há pecado; existem apenas sentimentos neuróticos". Mas mudar o rótulo da culpa não a elimina. Um veneno não deixa de ser veneno apenas porque mudamos a sua embalagem ou trocamos o seu rótulo.

Existem muitas pessoas doentes emocionalmente porque foram amordaçadas pelo silêncio diante das injustiças sofridas. Elas não explodiram, mas implodiram. Elas sofreram caladas, mas o silêncio produz raiz de amargura, e a amargura perturba e contamina. Um coração magoado é como um vulcão em erupção. Ele cospe lavas cheias de fogo. Um vulcão em erupção pode parecer calmo por fora, mas está fervendo por dentro. A morte que ele espalha quando explode já reinava dentro dele acobertado por um silêncio perigoso.

Existem muitas pessoas que são verdadeiros sarcófagos existenciais. São como um túmulo fechado: levam para o silêncio da morte as reminiscências amargas e as lembranças de dor. Não têm coragem de abrir as cavernas escuras da alma nem destrancar as câmaras de horror do coração. Não têm disposição para espremer o pus das feridas infectadas. Preferem a acomodação do silêncio ao incômodo do confronto. Contudo, o silêncio gera doença, mas o confronto produz cura.

Perdão, a cura das emoções

Há pessoas que preferem o silêncio ao confronto. O silêncio é a arma dos covardes e dos medrosos. O silêncio é o veneno que sufoca aqueles que têm uma autoimagem achatada. Ele é o falso consolo daqueles que aguardam um escape sobrenatural de suas prisões emocionais. O silêncio é uma falsa calma e uma paródia do descanso na providência divina. Ele é uma mentira, uma contradição, um paradoxo. O silêncio descreve o barulho atormentador que assola a alma aflita no palco que apresenta o drama alucinante da vida.

O apóstolo Paulo exorta-nos sobre o perigo de deixar o sol se pôr sobre a nossa ira. O que Paulo ensina é que não podemos deixar para o outro dia um problema de hoje. Fazer isso é dar lugar ao diabo. É trancar o coração na jaula do silêncio e deixar solta a mágoa.

Jesus ensina também que o confronto precisa ser feito numa atitude de amor. O verbo "repreender" na língua portuguesa dá a ideia de uma exortação dura, pesada, austera. Mas não é esse o seu sentido original. A palavra no original grego fala de uma exortação cuidadosa, amorosa e cheia de ternura. Precisamos dizer a verdade em amor. Nossa língua precisa ser medicina para a alma, e não veneno para o espírito. A repreensão não visa humilhar a pessoa faltosa, mas restaurar o relacionamento rompido. A repreensão não é motivada pelo egoísmo doentio, mas pelo amor altruísta. Devemos repreender com espírito de brandura. Devemos curar as feridas das pessoas com o bálsamo de Gileade. A união do povo de Deus é como o orvalho e o óleo. Ambos são símbolos do Espírito Santo. Onde as feridas são curadas, onde há união entre os irmãos, onde o perdão é o remédio para curar os relacionamentos estremecidos, aí domina o Espírito de Deus.

A terapia do perdão

Finalmente, Jesus mostra a realidade das tensões e conflitos entre os irmãos: *Se o teu irmão pecar contra ti*. Jesus está
evidenciando essa possibilidade. Por causa da nossa fraqueza,
falhamos com os nossos irmãos, e eles falham conosco. É um
fato inequívoco que decepcionamos as pessoas, e elas, a nós.
Por causa da nossa natureza caída, ferimos as pessoas a quem
amamos, e elas nos ferem. Por essa razão, o perdão é o único instrumento de restauração e saúde nos relacionamentos.
Embora devamos nos esforçar para não pecar contra os nossos
irmãos, é fato que pecamos contra eles. Daí o perdão não ser
apenas uma possibilidade, mas uma necessidade imperativa
para a restauração da vida, da alegria e da comunhão na família, na igreja e na sociedade.

Arrependimento — O terceiro passo no processo do perdão é o arrependimento. Devemos corrigir aqueles que pecam
contra nós não para feri-los, mas para conduzi-los ao arrependimento (Gálatas 6:1). A mesma língua que feriu deve passar
o bálsamo de Gileade. A mesma pessoa que provocou o sofrimento ao irmão deve agora ser instrumento de consolação. A
única maneira de fazer isso é revelando um sincero e profundo
arrependimento. Mas o que é arrependimento?

Arrependimento é uma profunda mudança em três áreas
cruciais da vida. Em primeiro lugar, *arrependimento é mudança de mente*. Arrependimento acontece quando a pessoa que
praticou o pecado contra outrem reconhece que errou, que suas
ideias estavam erradas acerca de Deus, do próximo e de si mesma. Em última instância, todo pecado é contra Deus. Quando
ferimos um irmão, estamos pecando contra Deus. O pecado
também atinge os nossos irmãos. Não somos uma ilha; o que
fazemos atinge as pessoas à nossa volta. Mas o pecado também

Perdão, a cura das emoções

agride a quem o pratica. A pessoa que comete pecado se autodestrói. O arrependimento acontece quando tomamos consciência de que o pecado é uma conspiração contra Deus, contra o próximo e contra nós mesmos.

O arrependimento é mudança de mente com respeito à natureza do próprio pecado. O pecado é maligníssimo. Ele é o pior de todos os males, é pior do que a solidão, do que a pobreza, do que a doença, do que a dor e até mesmo do que a morte. Todos esses males, embora terríveis, não podem nos afastar de Deus; mas o pecado nos afasta da intimidade de Deus no tempo e nos bane para sempre da sua face. Arrepender-nos é reconhecermos que o pecado atenta contra a santidade de Deus e que por isso devemos odiá-lo. É tomar consciência de que devemos fugir não apenas das consequências do pecado, mas sobretudo do pecado.

Em segundo lugar, *arrependimento é mudança de emoção.* Arrependimento é tristeza segundo Deus, e não segundo o mundo. Arrependimento é sentir contorções na alma, dor no coração por praticar o mal contra Deus, contra o próximo e contra nós mesmos. O arrependimento expressa-se na terapia das lágrimas sinceras derramadas pela queda e que revelam quanto o pecado é enganador. O arrependimento é o sentimento de náusea pelo pecado, e não apenas medo de suas tenebrosas consequências. O arrependimento é o soluço libertador do coração que encontrou paz no perdão divino e restauração das relações estremecidas.

Em terceiro lugar, *arrependimento é mudança de atitude.* Arrependimento é dar meia-volta, é tomar o caminho oposto do pecado, é seguir em direção oposta, é mudar de conduta,

49

de atitude, de comportamento. Não há arrependimento sem abandono do pecado. Não há arrependimento apenas de boca. Arrependimento não se mede pelo que se diz, mas pelo que se pratica. Há pessoas que escondem a dureza do seu coração em confissões fingidas. Pedem perdão quantas vezes forem necessárias, mas nunca mudam de atitude. Isso é um falso arrependimento, e um falso arrependimento deságua num falso perdão.

Perdão — Jesus é claro em afirmar: *Tende cuidado de vós mesmos; se teu irmão pecar, repreende-o; se ele se arrepender, perdoa-lhe* (Lucas 17:3). O perdão é o fruto do arrependimento. O perdão é a atitude de zerar a conta daquele que nos deve. Perdoar é jamais trazer à tona um pecado que foi devidamente confessado e abandonado. É nunca mais lançar no rosto da pessoa a sua falha e o seu erro. Perdoar não é viver dragando o poço profundo do coração, buscando reminiscências e lembranças do passado para acusar a pessoa que nos feriu. O perdão é a atitude de não fazer mais incursões ao passado, relembrando as feridas e as palavras que nos fizeram sofrer.

A Bíblia nos ensina a perdoar como Deus nos perdoa. Deus perdoa os nossos pecados e deles jamais se lembra (Jeremias 31:34; Hebreus 8:12). Deus perdoa e esquece. Mas o que isso significa? Muitas pessoas ficam atormentadas com essa comparação. Elas dizem: "Então eu nunca perdoei, porque jamais consegui esquecer". É preciso entender que, quando a Bíblia diz que Deus esquece os nossos pecados, ela não está afirmando que Deus sofre de amnésia. Deus jamais perde a memória. Ele é onisciente. O que significa então? Significa que Deus nunca mais cobra uma dívida que ele já nos perdoou. Mesmo que os nossos pecados sejam conhecidos por Deus, ele decide que nunca mais os trará à lembrança para nos acusar. Ele não nos cobra mais, não nos acusa mais. Ele não relembra mais os nossos pecados para nos condenar, nem jamais nos expõe como culpados.

Quando perdoamos alguém, nós o alforriamos em nosso coração. Cortamos as amarras grossas que nos mantinham cativos a essa pessoa. Nós nos libertamos e deixamos a pessoa livre. O perdão implica jamais cobrar da pessoa uma dívida que já perdoamos. Mesmo que os fatos que nos feriram venham à nossa mente, não sofremos mais por eles nem cobramos mais da pessoa a quem perdoamos. Isso é perdão como Deus nos perdoa.

O pecado perdoado deve ser lançado no mar do esquecimento. Jamais devemos expor a pessoa ao ridículo. Devemos sempre fazer o que Sem e Jafé fizeram com Noé, cobrindo-lhe a nudez. Devemos sempre tirar os trapos do passado inglório das pessoas que nos ofenderam e cobri-las com as vestes novas do perdão. Nosso propósito deve ser sempre mostrar àqueles que nos ofenderam as vestes reais do perdão, e não os andrajos de seus pecados.

O CARÁTER ILIMITADO DO PERDÃO

O Senhor Jesus deu mais um passo no seu ensino sobre o perdão, falando do seu caráter ilimitado: *Mesmo se pecar contra ti sete vezes no dia, e sete vezes vier a ti, dizendo: Estou arrependido; tu lhe perdoarás* (Lucas 17:4). Este ensino de Jesus é absolutamente revolucionário. Nenhum de nós alcança esse padrão. O perdão não é algo natural. Não conseguimos perdoar de acordo com esse critério de Jesus confiados em nós mesmos. A tendência natural do coração humano é rechaçar a pessoa que

A terapia do perdão

falha conosco mais de uma vez. Não gostamos de ser abusados. Não toleramos que as pessoas falhem conosco sucessivamente. A tendência do nosso coração é desprezar as pessoas que reincidem no erro conosco. Mas perdão limitado não é perdão de forma nenhuma. O perdão não tem limites nem fronteiras.

Certa ocasião os discípulos de Jesus estavam conversando com ele sobre essa questão do perdão. Pedro começou a ficar inquieto com aquela conversa e resolveu apelar. Pedro perguntou a Jesus até quantas vezes deveríamos perdoar alguém. O problema de Pedro não era a necessidade do perdão, mas o limite para o perdão. Até onde podemos ir no ato de perdoar uma pessoa que nos ofende? Pedro arrisca uma matemática supraespiritual e diz: "Senhor, será que devemos perdoar até sete vezes?" Pedro esperava ganhar um elogio de Jesus por pensar que sua teologia acerca do perdão era a expressão máxima da experiência humana. Ele pensou que o seu nível de perdão tinha alcançado o topo da vida cristã. Sete é o número da perfeição. Perdoar sete vezes é perdoar como só Deus consegue perdoar. Um homem, imperfeito, talvez fosse capaz de perdoar umas seis vezes. Por isso, Pedro pergunta: "Temos de perdoar de um jeito que só Deus consegue?" Mas Jesus desarticula o pensamento de Pedro e corrige sua teologia, quando diz: "Não apenas sete vezes, mas setenta vezes sete". Jesus não estava dando uma aula de matemática para Pedro ao falar sobre o perdão, mas estava lhe revelando que o perdão deve ser ilimitado. Quem se fecha para o perdão, seja para concedê-lo, seja para recebê-lo, fecha-se para a vida na comunidade da fé. Quem não perdoa como Deus perdoa fecha-se para a vida de Deus.

Há duas verdades sublimes sobre o perdão na Bíblia. A primeira é que devemos perdoar uns aos outros como Deus em

Cristo nos perdoou. O perdão de Deus é completo, final e constante. Sempre que chegamos a Deus com um coração contrário, ele está pronto a nos perdoar. Se confessarmos os nossos pecados, ele é fiel e justo para nos perdoar. Ele é rico em perdoar e tem prazer na misericórdia. Nossa condição seria desesperadora diante de Deus se ele limitasse seu perdão a nós. Seríamos consumidos pelos nossos pecados se Deus não nos tratasse segundo as suas muitas misericórdias. Ele jamais rejeita o coração quebrantado e o espírito contrito. Sempre encontramos graça e restauração diante do trono de Deus. Ele é quem perdoa os nossos pecados e deles nunca mais se lembra. Ele apaga as nossas transgressões como a névoa. Ele joga os nossos pecados para trás das suas costas. Ele lança os nossos pecados nas profundezas do mar e os afasta de nós como o Oriente está afastado do Ocidente. Assim também devemos perdoar uns aos outros. Como Deus nos perdoou, devemos perdoar. O perdão de Deus é o nosso referencial e modelo. Assim como Deus perdoa e restaura, devemos perdoar aos que nos ofendem e restaurá-los. Deus perdoa e continua perdoando sempre que nos achegamos a ele com o coração arrependido. Assim também devemos perdoar aos nossos ofensores.

A segunda verdade sublime sobre o perdão é que pedimos para Deus perdoar as nossas dívidas assim como perdoamos aos nossos devedores. Agora a posição se inverte. Antes o perdão divino era o padrão mediante o qual devemos perdoar aos nossos ofensores. Agora, estamos pedindo para Deus nos perdoar assim como nós perdoamos. Agora o perdão que expressamos é o padrão mediante o qual estamos pedindo que Deus nos trate. É impossível fazer a Oração do Senhor sem espírito perdoador. Se o nosso coração é um poço de mágoa e vingança, não podemos orar como o Senhor nos ensinou, pois estaríamos pedindo juízo sobre a nossa cabeça em vez de misericórdia; condenação em vez de perdão.

O CARÁTER RESTAURADOR DO PERDÃO

O perdão às vezes é unilateral. Podemos perdoar uma pessoa que nos ofende, nos fere e nos agride mesmo que essa pessoa não queira receber o nosso perdão nem conviver conosco. Quando perdoamos, estamos arrancando do nosso coração o peso e tirando de sobre nós a culpa. Quando resolvi perdoar o assassino do meu irmão, tomei uma decisão íntima, particular, unilateral. Eu nunca mais vi aquela pessoa. Minha relação com ela nunca foi restaurada. Ela tomou outros caminhos. Mas eu tomei a decisão de ficar livre da mágoa e do ódio, tirei aquela farpa do meu coração e extirpei todo o pus da minha alma. Alforriei aquele homem no meu coração e o libertei, e fiquei liberto. Não podemos carregar no coração o peso da mágoa. Quem não perdoa não tem paz nem consegue adorar a Deus. Quem não perdoa não consegue orar com eficácia, mas vive atormentado pelos flageladores. Quem não perdoa adoece. O perdão é a assepsia da alma, é a faxina do coração, é a cura das memórias amargas, é a amnésia do amor, é a libertação dos grilhões do ressentimento.

O perdão, sobretudo, é uma atitude de amor que visa não apenas zerar as contas do passado, mas também restaurar os relacionamentos quebrados. Quando Deus nos perdoa, ele não apenas cancela a nossa dívida, mas nos restaura e nos dá dignidade e sua presença. Ele nos dá nova chance de vivermos vitoriosamente. Deus não apenas nos levanta do pó, mas nos faz assentar entre príncipes. Essa verdade pode ser vista de forma eloquente na parábola do filho pródigo.

Perdão, a cura das emoções

O filho mais moço começa um processo de naufrágio na sua vida quando se deixa dominar por um espírito de descontentamento na casa do pai. Ele tem tudo, mas está insatisfeito. Ele era feliz inconscientemente. Então, dá mais um passo na direção do fracasso, pedindo antecipadamente a sua herança. Ele mata o pai em seu coração. Ele busca os prazeres e as aventuras do mundo com toda a ânsia do seu coração. O mundo torna-se mais importante para ele do que o pai. Estava cercado de amigos, programas, festas e muita diversão. Ele vivia embalado nas asas das aventuras mais requintadas. Estava bebendo todas as taças dos prazeres que o mundo podia lhe oferecer. Era infeliz inconscientemente, mas as alegrias do pecado são falsas e passageiras. A máscara caiu. O dinheiro acabou. Os amigos fugiram. Ele ficou só, desamparado e mergulhado em profunda tristeza. Começou a passar fome. Rebaixou-se, foi ao fundo do poço, foi parar num chiqueiro para cuidar de porcos imundos. Agora, era infeliz conscientemente. No auge do seu desespero, o pródigo lembrou-se do pai e tomou a decisão de voltar para casa. Pensou nos seus erros, na loucura das suas escolhas, na tragédia das suas perdas, no desbarrancamento da sua reputação, na perda dos seus direitos. Pensou em ser recebido apenas como um empregado. Levantou-se então e foi reencontrar-se com o pai. Mas o pai, longe de reprová-lo, de censurá-lo, de esmagar a cana quebrada e de escorraçá-lo de casa, correu ao seu encontro, abraçou-o e beijou-o. Finalmente, ele era feliz conscientemente.

Essa parábola nos ensina tremendas lições sobre o perdão. Em primeiro lugar, Jesus nos ensina que o perdão cancela o passado por mais horrendo que ele tenha sido. O pai mandou tirar os trapos sujos de lama de seu filho e colocar nele um traje novo.

A terapia do perdão

Quando as pessoas olhassem para ele, não veriam nenhum vestígio da sua miséria passada. Esse seria um segredo apenas entre o pai e o filho, perdoado para sempre. Assim devemos perdoar aos que nos ofendem. Não devemos reviver as histórias passadas que nos magoaram. Não devemos nunca mais expor ao ridículo a pessoa que nos ofendeu. Pelo contrário, devemos cobri-la com vestes novas. É assim que devemos desejar que as outras pessoas a vejam. Quando o filho mais velho se recusou a entrar na casa e se alegrar com a restauração do irmão, o pai não deu guarida à sua acusação. Para o coração perdoador do pai, o passado de seu filho era uma página virada, um livro fechado, um caso encerrado que não devia mais ser revivido.

Em segundo lugar, Jesus nos ensina que o perdão restaura a pessoa caída e lhe devolve a dignidade. O pai mandou colocar um anel no dedo do filho. Ele não era um escravo, mas um filho. O filho queria ser apenas um escravo, mas o pai lhe restaurou a filiação, a dignidade. Como escravo, aquele filho estaria sempre se cobrando, sempre lembrando as suas tragédias, sempre se penalizando. O pai não apenas cancelou seu passado, mas restaurou seu presente. O pai não apenas perdoou a sua dívida, mas lhe devolveu o direito de herança.

Em terceiro lugar, Jesus nos ensina que o perdão abre as portas para a celebração da reconciliação. O pai não apenas recebeu seu filho de volta, mas festejou seu retorno. Deu um grande banquete, e houve músicas e danças de alegria. Aquele filho estava perdido e fora achado, estava morto e agora estava vivo. O perdão é a festa de restauração. É a celebração festiva do reencontro. É o banquete da reconciliação. A Bíblia diz que há festa diante dos anjos por um pecador que se arrepende e se volta para Deus.

Perdão, a cura das emoções

O CARÁTER TRANSCENDENTE DO PERDÃO

Quando os discípulos ouviram Jesus falar sobre o aspecto ilimitado do perdão, exclamaram: [...] *Aumenta a nossa fé* (Lucas 17:5). O perdão está sempre além e acima das nossas forças humanas. O perdão é uma atitude transcendental. Vai além das fronteiras da capacidade humana. Daí a súplica dos discípulos: [...] *Aumenta a nossa fé*. Aqui encontramos algumas lições preciosas sobre o perdão. Em primeiro lugar, somente o Senhor pode nos capacitar a perdoar. O perdão é obra de Deus em nós. O perdão não é resultado de um temperamento manso, mas da graça de Deus em nosso coração. Só Jesus pode nos ensinar a perdoar de verdade. Só ele pode arrancar do nosso peito a dor da traição. Só ele pode curar as feridas profundas do coração de um cônjuge que foi traído, abandonado e trocado por outra pessoa. Só Jesus pode sarar a alma de uma filha que foi abusada sexualmente pelo próprio pai. Somente Jesus pode curar as memórias amargas de uma pessoa que foi rejeitada desde o ventre materno e nunca conheceu o amor de pai e mãe. Somente Jesus pode aliviar as tensões do coração daqueles que foram abusados, injustiçados, caluniados, pisados e perseguidos. Só Jesus pode nos capacitar a perdoar e liberar perdão.

Perdoar não é fácil. Fácil é falar sobre perdão. Perdoar é morrer para nós mesmos. Perdoar é sair em defesa da pessoa que nos ofendeu e atenuar a culpa daqueles que nos maltrataram. Perdoar é amar os nossos inimigos e pagar o mal com o bem.

Em segundo lugar, como o perdão é uma atitude espiritual, precisamos pedir que Jesus aumente a nossa fé. Pessoas que têm uma fé trôpega não conseguem perdoar. A menos que estejam sendo fortalecidas pelo amor que procede do coração de Deus

A terapia do perdão

e estejam sendo abastecidas pelas fontes que emanam do trono de Deus, não conseguem perdoar verdadeiramente. O ato de perdoar é consequência de uma vida de intimidade com Deus. A fé vem pela Palavra. Somos salvos pela fé. Vivemos pela fé. Vencemos pela fé. Perdoamos pela fé.

Em terceiro lugar, todos nós estamos aquém do padrão divino sobre o perdão. Por isso precisamos orar: [...] *Aumenta a nossa fé.* Só Deus pode nos fazer crescer nessa prática espiritual. Sempre estaremos aquém do padrão divino. Sempre precisaremos avançar para alcançar o alvo. Precisamos buscar em Jesus a capacitação para perdoarmos assim como Deus nos perdoou.

Capítulo 3
O PROCESSO DO
PERDÃO

O perdão não é uma opção para os cristãos, mas um imperativo divino. Perdoar faz parte da natureza do povo de Deus (Colossenses 3:12,13). Ser cristão é ter um novo nome, um novo coração, uma nova mente, uma nova vida. Ser cristão é ser revestido de novos valores, novas atitudes, novos pensamentos, novos sentimentos, novos paradigmas. Devemos perdoar uns aos outros porque temos sido perdoados em demasia. Mas como perdoar?

REJEITAR IDEIAS DE DESFORRA

O apóstolo Paulo nos ensina em Romanos 12:17,21 que devemos servir à pessoa que nos feriu, pagando-lhe o mal com o bem. Pagar o bem com o mal é demoníaco. Pagar o bem com o bem é humano. Entretanto, pagar o mal com o bem é divino. Ódio gera ódio. Guerra produz mais guerra. Violência promove mais violência. As guerras jamais promoveram a paz, jamais curaram as feridas. Contudo, o perdão traz cura, reconciliação e restauração. O perdão estanca o fluxo do mal. O perdão não exige justiça, mas exerce a misericórdia. Aquele que perdoa não busca a ruína do inimigo, mas a sua restauração. Aquele que perdoa não se alegra com a destruição dos malfeitores, mas intercede por eles. Jesus foi injustiçado pelas mãos dos pecadores. Pilatos o entregou por covardia; os soldados o açoitaram e o pregaram na cruz por crueldade. Mas Jesus, em vez de fuzilá-los com o ódio, intercedeu por eles e atenuou-lhes a culpa (Lucas 23:34)

O apóstolo Pedro nos diz que Jesus não revidou ultraje com ultraje (1Pedro 2:21-23). Ele, como Cordeiro de Deus, manso e humilde, não escoiceou aqueles que tramaram contra a sua vida. Ele não empregou sobre eles sua justa e santa ira. Pelo contrário, ministrou-lhes a riqueza do seu amor, rejeitando toda sorte de vingança ou desforra (Isaías 53:7).

A vingança é ódio em efervescência. A vingança é um vulcão que está sempre em erupção, não promove a justiça de Deus, nem cura a dor daquele que a executa. Vingar-se é usurpar o lugar de Deus, é roubar de Deus o que só a ele pertence. A Bíblia diz que a vingança pertence somente a Deus (Romanos 12:19). Apenas Deus sabe retribuir com justiça. Só Deus tem competência para julgar e para vingar. Quando tomamos em nossas mãos a vingança, estamos roubando de Deus um direito que lhe é exclusivo. O nosso papel não é vingar, mas confiar a Deus a nossa causa. Perdão, e não vingança, deve ser a atitude do cristão. Nossa obsessão não deve ser a busca da desforra, mas sim a procura do exercício do perdão. José do Egito foi implacavelmente injustiçado pelos seus irmãos. Eles o trataram com inveja e clamorosa injustiça e ódio, venderam-no e ocultaram por vinte anos aquele crime abominável. Levaram Jacó a desistir do filho querido. Mas, a despeito de terem tramado o mal contra José, Deus transformou o mal em bênção (Gênesis 50:20). José poderia ter se vingado dos seus irmãos; tinha poder para isso. Todavia, em vez da vingança, José exercita o perdão, leva os seus irmãos para o Egito e dá-lhes a terra mais próspera. Cumula-os de bênçãos e ergue um monumento vivo do seu perdão ao chamar o seu primogênito de Manassés, cujo significado é "perdão [quem faz esquecer]".

Jesus, em Mateus 5:38, nos ensina que a questão vital dos relacionamentos não é a ação, mas a reação. Muitas pessoas são capazes de viver bem a vida inteira com os iguais. Amam aqueles que os amam, saúdam aqueles que lhes são agradáveis, mas não toleram os diferentes, não perdoam aqueles que os ofendem. Contudo, o segredo de uma vida vitoriosa é uma reação transcendental. Perdoar é reagir transcendentalmente diante das dores mais profundas, das perdas mais dramáticas e das agressões mais desumanas. Perdoar é abrir mão da desforra. Perdoar é tapar o esgoto do ódio, é abrir as fontes da cura para relacionamentos saudáveis. A ausência de perdão adoece. A falta de perdão produz enfermidades graves no corpo, na mente e na alma. O perdão, porém, promove uma faxina na mente, libertação para as emoções e a cura para a alma.

Durante muitos anos o rei Saul perseguiu Davi implacavelmente. O rei louco alimentou no coração uma obsessão irredutível: matar Davi. O ciúme e a inveja corroíam o coração de Saul de maneira tal que ele se alimentava do absinto de seu ódio incandescente. Sua alma era um campo de guerra, e seu coração, um vulcão cuspindo lavas de fogo, portanto sua mente adoeceu por causa do ódio. Davi teve várias oportunidades de se vingar de Saul, teve a vida do rei em suas mãos várias vezes.

O processo do perdão

Mas Davi jamais intentou contra a vida de Saul, nunca pagou o mal com o mal. Ele preferiu o caminho do perdão, abriu mão da vingança, e Deus o exaltou.

INICIATIVA PARA A SOLUÇÃO DO CONFLITO

Quem deve tomar a iniciativa no exercício do perdão: o ofendido ou e ofensor? Quem deve dar o primeiro passo? Quem deve ser o primeiro a expurgar o pus da ferida? Quem deve abrir a torneira da cura e deixar vazar a água purificadora do perdão? Muitas pessoas vivem um processo de doença emocional, ensopadas de mágoa, entupidas de ressentimento, presas pelas algemas invisíveis do ódio porque jamais abriram mão do seu orgulho ou dos seus pretensos direitos. Sem humildade não há perdão. Se você lutar pelos seus direitos, se o seu alvo é a condenação do culpado, e não o exercício da misericórdia, jamais exercitará o perdão.

Não importa se você é o ofensor ou o ofendido, cabe-lhe a iniciativa de desencadear o processo da cura pelo perdão. Jesus ensinou: *Portanto, quando apresentares tua oferta no altar, se ali te lembrares de que teu irmão tem alguma coisa contra ti, deixa diante do altar a oferta e vai primeiro reconciliar-te com teu irmão; depois vem apresentar a oferta* (Mateus 5:23,24). Jesus não discute quem tem razão, ele não entra nesse mérito. Uma pessoa pode ter alguma coisa contra nós, sendo nós inocentes. Podemos ser alvos da mais clamorosa injustiça, como foi Jesus ao ser preso, açoitado, julgado e condenado. Mas Jesus tomou a iniciativa de rogar ao Pai para perdoar os seus algozes.

Em 1904 Jonathan Gofforth orou por um avivamento em Xangai, na China. Havia lido que, antes de Deus enviar um

Perdão, a cura das emoções

avivamento, as leis do avivamento precisavam ser observadas. Antes de o Senhor se manifestar, é preciso preparar o caminho do Senhor. Antes de o mundo ser impactado pelo derramamento do Espírito, a Igreja precisa reconhecer e confessar os seus pecados (confira 2Crônicas 7:14). Gofforth, então, disse para Deus que estava pronto a pagar o preço para a vinda do avivamento. A primeira coisa que Deus exigiu desse homem é que perdoasse aqueles que o perseguiam. Gofforth relutou. Aquele era um preço muito alto, pensou. Tentou, em vão, buscar evasivas e justificar-se. Contudo, quanto mais examinava as Escrituras e orava, mais entendia que não podia pegar um atalho nem contornar o problema. Humilhou-se então, abriu mão dos seus direitos e abriu seu coração para pedir perdão e para perdoar. Logo que o caminho foi preparado, Deus se manifestou com grande poder. Um avivamento extraordinário veio da parte de Deus sobre a Igreja. Milhares de pessoas foram salvas, e a Igreja se reergueu com grande força e poder. Os princípios da Palavra de Deus não podem ser desprezados. Onde não há perdão reina a sequidão. A falta de perdão provoca aridez espiritual, desertifica a alma, calcifica o solo do coração e retém as chuvas.

Devemos ter pressa para acertarmos os nossos conflitos. Mágoa congelada produz doença emocional. Ressentimento não resolvido gera depressão. Feridas mal curadas infeccionam a alma. Existem muitas famílias vivendo num verdadeiro deserto existencial porque ao longo da vida semeiam as sementes da discórdia. Em vez de fazer da vida um canteiro engrinaldado de flores e um campo abundante de frutos, transformam-na num deserto seco e cinzento, onde só crescem os espinheiros da mágoa e os cactos da indiferença.

O processo do perdão

LIBERTAR NOSSOS OFENSORES DE TODA DÍVIDA

Jesus nos ensinou a orar assim: *E perdoa-nos as nossas dívidas, assim como também temos perdoado aos nossos devedores* (Mateus 6:12). Quanto Deus tem perdoado você? Qual é o tamanho da sua dívida para com Deus? Quanto dessa dívida tem sido perdoado? Pecamos por palavras, obras, omissão e pensamentos. Vamos ter de prestar contas a Deus no dia do juízo por todas as palavras frívolas que proferimos, e aquilo que fizemos às ocultas será proclamado dos eirados no dia do juízo. Não apenas o mal que praticamos será julgado, mas também o bem que deixamos de fazer. Segundo os psicólogos, passam pela nossa mente 10 mil pensamentos por dia. Muitos deles são imundos, abomináveis para Deus. Se o Senhor revelasse e publicasse os nossos pensamentos e desejos secretos, arruinaria a nossa reputação. Se as pessoas que convivem conosco conhecessem como Deus nos conhece, elas se afastariam de nós horrorizadas. Entretanto, Deus nos perdoa, apesar do que somos. O perdão de Deus é completo, total e ilimitado. Deus perdoou toda a nossa dívida impagável. Ele não nos cobra mais aquilo que já perdoou, não lança em nosso rosto os nossos pecados passados. Ele apaga as nossas transgressões, dissipa-as como a névoa, lança-as nas profundezas do mar, afasta-as de nós como o Ocidente está afastado do Oriente e cobre-as e purifica com o sangue do seu Filho. Assim, devemos nós também perdoar os nossos ofensores. O perdão de Deus por nós é o referencial e o padrão do perdão que devemos dar aos nossos ofensores. Devemos perdoar como ele nos perdoa (Colossenses 3:12,13).

Se Deus nos tratasse conforme as nossas transgressões, estaríamos arruinados, pois o nosso pecado é por demais maligno (Romanos 7:13). O salário do nosso pecado é a morte (Romanos

Perdão, a cura das emoções

6:23), porém Deus lançou os nossos pecados sobre o seu próprio Filho (Isaías 53:4-6). Ele não poupou o seu próprio Filho (Romanos 8:32). Deus nos perdoou completa e infinitamente. O perdão que recebemos é a medida do perdão que devemos dar. Não podemos reter o perdão. Quando deixamos de perdoar, fechamos com as nossas próprias mãos os portais da graça. Jesus disse: *Porque, se perdoardes aos homens as suas ofensas, também vosso Pai celeste vos perdoará; se, porém, não perdoardes aos homens [as suas ofensas], tampouco vosso Pai vos perdoará vossas ofensas* (Mateus 6:14,15).

Corrie ten Boom foi presa pelos nazistas na Holanda durante a Segunda Guerra Mundial. Toda a sua família foi assassinada. Ela e sua irmã Betsie foram levadas para o campo de concentração de Ravensbruck e lá sofreram humilhações crudelíssimas. Passaram privações amargas, foram submetidas a trabalhos forçados sob açoites e escassez de pão. Betsie não suportou a crueldade e a desumanidade dos soldados nazistas e sucumbiu diante da brutalidade. Corrie ten Boom viu sua irmã doente, magérrima, ferida, desfalecida sendo açoitada por um soldado nazista até a morte. Desde aquele dia ela guardou no seu coração um ódio vulcânico por aquele soldado. Os dias se passaram e por um milagre de Deus ela saiu da prisão. A guerra chegou ao fim. Certa feita, ela estava pregando na Alemanha e ao término do culto, quando estava à porta cumprimentando as pessoas, viu na fila um homem de cabelos grisalhos, rosto sulcado pelo sofrimento, e imediatamente o reconheceu. Era o soldado que havia torturado sua irmã até a morte. Quando o homem estendeu-lhe a mão para cumprimentá-la, ela encolheu o braço. Aquele ódio congelado derreteu-se em seu coração, e inundou sua alma como uma avalanche caudalosa.

O processo do perdão

Transtornada diante do algoz de sua irmã, sentiu gosto de sangue vindo à sua boca, e uma sede de vingança tomou conta do seu coração. Nesse momento, o Espírito de Deus segredou em seus ouvidos: "Perdoe este homem. Fique livre e liberte este homem". Ela, então, tirou as farpas do ódio do seu coração, espremeu o pus da mágoa que infeccionava sua alma, olhou nos olhos daquele homem, estendeu-lhe a mão e disse-lhe: "Eu sei quem é o senhor. Eu sei o mal que o senhor me fez. Mas eu o perdoo em nome de Jesus. Fique livre, pois eu já estou livre!"

PERDÃO TRANSCENDENTAL, A PROVA DO AMOR INCONDICIONAL

O perdão deve ser completo ou então não é perdão. O perdão é incondicional ou então não reflete o amor incondicional de Deus. O perdão é sempre maior do que a ferida. O perdão sempre supera a dor. O perdão restaura a dignidade do caído, cura a alma enferma e restaura o relacionamento quebrado.

Um dos quadros mais vivos do perdão incondicional é a história do profeta Oseias e sua esposa Gômer. A nação de Israel estava entregue à apostasia. O povo estava cansado de Deus e havia abandonado o Senhor e o trocado por outros deuses. A nação de Israel estava se prostituindo espiritualmente, sendo infiel à sua aliança com Deus. O Senhor, então, em vez de falar à nação pela boca do profeta, fala pela vida do profeta. Em vez de exortar o povo através de um sermão, demonstra a Israel seu amor pelo padecimento do profeta.

Gômer era uma mulher bonita e atraente, era um símbolo de Israel. Ela teve três filhos. O primeiro chamou-se Jezreel. Esse não era um nome adequado para colocar em um filho. Jezreel

Perdão, a cura das emoções

foi o local de uma chacina, havia sido um campo de sangue, um lugar de violência. Deus estava mostrando o perigo iminente que desabaria sobre o povo caso ele não se arrependesse. Gômer concebeu novamente e deu à luz desfavorecida. Não diz o texto que ela era filha de Oseias. Talvez aquela menina já fosse fruto da infidelidade de Gômer. Deus estava mostrando seu desgosto e seu desfavor à nação de Israel pelos seus pecados. Nesse momento, Gômer entrega-se a uma vida de devassidão e engravida novamente. Dessa vez, Oseias tem certeza de que essa criança não é dele. Quando o menino nasceu, chamou-o de "Não meu povo". Israel não era povo de Deus. Havia se desviado e estava entregue à prostituição espiritual.

Depois que o terceiro filho foi desmamado, Gômer abandonou o profeta Oseias e se entregou à luxúria, vivendo despudoradamente com seus amantes. Ela se tornou uma prostituta cultual e se aprofundou no seu pecado. Corrompeu-se ao extremo. A despeito do descalabro moral de Gômer, da apostasia do seu amor, Oseias continuou amando-a e buscando formas de revelar a ela o seu amor. Ao perceber que estava passando necessidades nas mãos de seus amantes, Oseias comprou-lhe presentes, mas ela se voltou ainda mais para os seus amantes, entregando-se com afinco às suas paixões infames.

O tempo passou. Gômer perdeu seu viço, sua beleza, seu encanto. Então, ela foi levada para o mercado para ser vendida como escrava. No meio da multidão, Oseias vê sua mulher acabada, gasta, envelhecida, sendo vendida como uma mercadoria. Seu coração se comove. Ele ainda ama sua mulher. Por isso, participa do leilão e oferece o maior lance para comprar Gômer. O povo de Samaria certamente ficou chocado. Talvez as pessoas pensassem que essa seria uma boa hora para que Oseias

O processo do perdão

lavasse sua honra e matasse a esposa adúltera. Mas Oseias opta por não escorraçar a esposa infiel e toma-a nos braços, aperta-a contra seu peito, perdoa-a incondicionalmente e devota-lhe seu amor. Oseias investiu na sua mulher, amou sua mulher, perdoou sua mulher e restaurou-a. Ao final, Oseias não apenas fala à nação acerca do amor e do perdão de Deus, mas demonstra isso de forma poderosa.

Somos como Gômer. Os nossos pecados merecem o juízo de Deus. Estávamos condenados, éramos escravos da carne, do mundo e do diabo. Andávamos em trevas, no cabresto do diabo, na potestade de Satanás, fazendo a vontade da carne, caminhando para a morte. Éramos escravos do pecado. Como o filho pródigo, nossas roupas estavam sujas de lama. Mas, em vez de Deus sentir nojo de nós, ele corre em nossa direção, abraça-nos, beija-nos, honra-nos, perdoa-nos, restaura-nos e celebra a festa da nossa reconciliação.

RESTAURAR RELACIONAMENTOS DESFEITOS

Deus não apenas apaga as nossas transgressões, Ele nos recebe de volta e celebra a nossa volta para ele. Deus não apenas cancela a nossa dívida, mas nos concede o privilégio de filhos e de herdeiros. Deus não apenas sepulta o nosso passado no mar do esquecimento, mas constrói um relacionamento cheio de ternura no presente. Deus não apenas tapa os fossos escuros do nosso passado vergonhoso, mas constrói pontes de um novo e vivo relacionamento. Perdão implica restauração.

Quando Jesus buscou Pedro no mar da Galileia, não apenas o perdoou, mas também restaurou seu apostolado (João

Perdão, a cura das emoções

21:7-17). Pedro havia negado Jesus. Ele confiava na sua própria força e pensava que era mais fiel do que seus companheiros. Pedro desconhecia suas próprias fraquezas, por isso Jesus permitiu que ele caísse na peneira do diabo. Pedro foi moído, quebrado. No Getsêmani ele dorme no meio da batalha mais decisiva da História. Em vez de orar, Pedro dorme; em vez de guerrear com armas espirituais, saca a espada e corta a orelha de Malco. Pedro, então, começa a seguir Jesus de longe, mistura-se com os escarnecedores e logo nega Jesus. Jura que não o conhece e até mesmo diz impropérios, garantindo que Jesus é um desconhecido para ele. Nesse momento, Pedro ouve o canto do galo. Jesus olha para ele, que no exato instante desaba em um choro profundo. Naquela noite Pedro foi para casa com o coração ensopado de dor. Sua alma estava em crise, saiu chutando as pedras pelo caminho, correndo entre os olivais com o rosto banhado pelas lágrimas grossas que rolavam pelo seu rosto bronzeado pelo sol. Chega a casa e não consegue dormir. Rola na cama. Alaga o leito com as suas lágrimas, encharca o travesseiro com as torrentes que brotam dos seus olhos. Seu mundo estava destruído: negara sua fé, seu apostolado, suas convicções, seu Senhor. Ele não era uma pedra, mas apenas pó. Pedro era a síntese do fracasso.

Pedro havia desistido de tudo, mas Jesus não havia desistido de Pedro. Jesus ressuscitou e enviou-lhe um recado (Marcos 16:7). Jesus o encontraria na Galileia. Pedro foi. De Jerusalém até o mar da Galileia foi uma longa viagem. A cada passo que Pedro dava, sentia uma alfinetada na alma; afinal de contas havia sido um fracasso. Sua lealdade a Jesus tinha esbarrado na sua própria fraqueza. Pedro chega à Galileia, e o seu mundo ainda continua confuso; ele não vê mais chance de

O processo do perdão

recomeçar seu ministério. Para ele estava tudo perdido, por isso resolve voltar às redes. Resolve abandonar seus sonhos, seus projetos, seu apostolado. Resolve reconstruir as pontes do passado e voltar a pescar. Não apenas voltou à velha vida, mas levou consigo os seus companheiros. Mas naquela noite eles nada apanharam. Até como pescador Pedro fracassa — todas as portas estavam fechadas. Pedro havia chegado ao fim da linha.

Quando, porém, tudo parecia estar perdido, Jesus aparece para restaurar Pedro. Jesus não o humilha, não o expõe ao ridículo diante dos seus colegas. Jesus apenas lhe pergunta: "Pedro, você me ama?" Jesus montou o próprio cenário para restaurar a memória de Pedro. Ele negara Jesus diante de uma fogueira. Jesus acende uma fogueira para restaurar Pedro. Ele negara Jesus três vezes e três vezes tem a oportunidade de reafirmar seu amor por Jesus. Pedro tinha desistido do seu apostolado, mas Jesus o comissiona para pastorear suas ovelhas. O perdão de Jesus sempre nos restaura. O perdão genuíno produz reatamento dos laços quebrados. O perdão pleno promove reconciliação.

Talvez você esteja afastado de alguém que um dia fez parte da sua vida. Talvez uma muralha de bronze separe você de alguém que deveria estar ao seu lado. Talvez dentro da sua casa existam muros construídos. Talvez você seja casado, mas já não dorme mais na mesma cama com a sua esposa. Talvez você nunca tenha se libertado da dor da traição do seu cônjuge nem jamais conseguido perdoar aquele amigo que o decepcionou. Talvez você nunca tenha conseguido perdoar seu pai ou sua mãe pela maneira rude com que o trataram na infância ou pelo tratamento diferenciado que deram aos seus irmãos. Talvez suas feridas ainda estejam sangrando e sua alma ainda esteja em grande angústia. Chegou a hora de estancar essa

Perdão, a cura das emoções

hemorragia que está drenando as suas forças. Chegou a hora de dar um basta nessa dor que sufoca seu peito e decretar sua própria liberdade. Você pode ficar curado dessa dor e atar essa ferida. Você pode perdoar as pessoas que abriram feridas no seu coração e ser liberto, pode restaurar os relacionamentos quebrados, pode experimentar o poder do perdão em sua vida.

APRENDENDO A REMOVER AS FARPAS DO CORAÇÃO

Quando Jesus perguntou ao homem do tanque de Betesda se ele queria ser curado, ele respondeu com uma desculpa: "Sim, mas..." (confira João 5:7). Ele poderia ter dito simplesmente sim ou não. Se a cura traz tantos benefícios, por que as pessoas apresentam tantas desculpas para serem curadas? Aquele homem disse para Jesus: [...] *Não há ninguém* [...] (João 5:7). Ele se considerava uma vítima do esquecimento, um homem abandonado e alvo da ingratidão da família e dos amigos. Aquele homem despejou sua mágoa diante de Jesus. Além de doente do corpo, estava também com a alma enferma. Ele atribuía a sua enfermidade às pessoas; os outros eram os responsáveis. Dizia ele: "Eu não fui curado porque não tenho ninguém que se interesse por mim".

Quais são as farpas que ainda fazem sangrar seu coração? O que está impedindo você de expurgar o pus do seu coração? Talvez você esteja com medo de remexer o seu passado, dizendo a si mesmo: "O que passou, passou. Eu não quero mais relembrar o passado". Mas não adianta sepultar um problema vivo. Ele se levantará como um fantasma na sua vida. O processo da cura dói, mas liberta. Muitas vezes significa olhar para trás e reparar danos, recordar experiências dolorosas: um

O processo do perdão

abuso sexual, a falta de amor do pai, o abandono da mãe, as cenas de violência sofridas na infância, a traição do cônjuge. Cada pessoa tem farpas que causam dor, e para sarar é preciso recordar. Não adianta tapar uma ferida. É necessário fazer assepsia, uma limpeza total. O perdão liberta, cura. A mágoa adoece. A falta de perdão torna a vida um inferno. Quem não perdoa não tem paz. Quem não perdoa não consegue ter intimidade com Deus. Quem não perdoa vive sendo flagelado pelos verdugos. Não espere até que a pessoa que o feriu mude de ideia. Perdoe essa pessoa e liberte-se!

Deus tem um lugar específico onde colocar as nossas lembranças amargas: o mar do esquecimento (Miqueias 7:19). Esquecer não significa fazer de conta que nada aconteceu. Significa viver além do que aconteceu. A única maneira de sermos curados é arrancar as farpas que estão cravejadas no nosso coração. Precisamos não apenas de santidade, mas também de sanidade. A diferença entre santidade e sanidade é apenas uma letra, a letra "t", e ela é um símbolo da cruz. O que nos cura e nos torna santos é a cruz de Cristo. Se não sararmos, ainda que formos para ao céu (como aleijados emocionais), não viveremos tudo o que Deus tem para nós na terra.

DESCULPAS E RACIONALIZAÇÃO

O ato de pedir perdão e perdoar não é fácil. É mais fácil encontrar mecanismos de defesa do que destrancar as câmaras íntimas da alma. É mais fácil falar de perdão do que perdoar. É mais fácil culpar os outros do que reconhecer os próprios erros e pedir perdão. O mecanismo da projeção e transferência de responsabilidade acompanha a raça humana desde o Éden.

Perdão, a cura das emoções

Não gostamos de admitir as nossas próprias falhas. Somos tolerantes conosco e impacientes com as pessoas. Sentimo-nos aliviados em colocar a culpa nos outros e justificar os nossos erros. Colocamos em nós mesmos máscaras de piedade e apontamos as falhas dos outros. Assim, usamos de racionalização para não enfrentarmos os nossos próprios pecados. Eis algumas das principais desculpas que damos para não lidar com o perdão:

Eu não pedirei perdão porque todo mundo erra e não sou diferente das demais pessoas. Essa desculpa deveria nos levar à humildade, e não ao endurecimento. Exatamente porque somos falhos e porque erramos, deveríamos ter disposição para pedir perdão.

Eu não pedirei perdão porque já faz muito tempo que o problema aconteceu, e agora não adianta mais. O tempo muitas vezes não sara as feridas da alma. Esaú e Jacó passaram vinte anos longe um do outro, e a despeito desse longo período a consciência de Jacó ainda o culpava por ter enganado o seu irmão (Gênesis 32:4,5). O ensino bíblico é que o confronto é a solução para os problemas interpessoais.

Eu não pedirei perdão porque não errei sozinho. O perdão não é uma questão de justiça. Somente uma pessoa que se esvaziou do orgulho consegue pedir perdão. Somente uma pessoa que desistiu de brigar pelos seus direitos consegue perdoar.

Eu não pedirei perdão porque, se eu me humilhar, ninguém mais me respeitará. Você nunca é tão grande como quando é humilde. Deus rejeita os soberbos, mas dá graça aos humildes (1Pedro 5:5). A Bíblia diz que os mansos herdarão a terra (Mateus 5:5). As pessoas tendem a respeitar aquelas que são honestas a ponto de reconhecer seus erros, admiti-los,

O processo do perdão

confessá-los e abandoná-los. A Bíblia diz que aquele que encobre as suas transgressões jamais prosperará, mas aquele que as confessa e deixa alcançará misericórdia (Provérbios 28:13).

Eu não pedirei perdão porque isso implica restituição financeira. O verdadeiro perdão envolve restituição. Quando Zaqueu converteu-se ao Senhor Jesus, sua primeira atitude foi devolver o dinheiro que ele havia acumulado de forma desonesta. Sempre que uma pessoa experimenta um verdadeiro quebrantamento espiritual e tem uma genuína conversão, está pronta a restituir aquilo que não lhe pertence.

Essas racionalizações podem se multiplicar em centenas. Você tem usado algumas delas? Chegou a hora da verdade. A fuga é o expediente dos covardes. Adiar um problema é adiar o sofrimento. O perdão é uma questão de sobrevivência. Perdoar e viver é uma opção tão clara quanto perdoar ou morrer. A escolha é sua: estão diante de você a vida e a morte, a bênção e a maldição. Escolha a vida. Escolha o perdão. Opte pela vida superlativa que Deus lhe oferece em Cristo Jesus.

CONCLUSÃO

Tenho percorrido o Brasil de norte a sul e de leste a oeste pregando em centenas de igrejas de várias denominações. Tenho pregado em outros países e conversado com milhares de pessoas, grandes e pequenas, ricas e pobres, cultas e ignorantes, racionalistas e místicas. Tenho lido muitos livros sobre o comportamento das pessoas. Tenho lidado com aconselhamento pastoral diariamente por mais de vinte anos, atendendo pessoas aflitas, enlutadas, doentes, abaladas e feridas emocionalmente. Tenho escutado centenas de declarações de pessoas aflitas, magoadas, com coração quebrado. Tenho visto muita gente sufocada, deprimida, sem paz, com a vida destruída, com o casamento arruinado, com os sonhos desfeitos. Tenho conversado com muita gente que carrega no peito traumas não curados, doenças não diagnosticadas, feridas não fechadas. Tenho visto gente que foi agredida, pisada, abusada, injustiçada, crianças sem brilho nos olhos, jovens sem ideal, homens na plenitude do vigor que já desistiram da vida, que já abriram mão de seus sonhos, que já sucumbiram diante das crises, que estão com um pé na sepultura, dominados por depressões assoladoras. Tenho visto mulheres resignadas, abatidas, tristes, que já se desencantaram com o casamento, que vivem de aparência,

Conclusão

que perdem o sonho de conhecer o verdadeiro amor conjugal. Tenho visto pais frustrados com os filhos e filhos revoltados com os pais. Tenho visto pessoas repletas de mágoa, carregando nos ombros o peso esmagador da culpa.

Enfim, vejo uma sociedade doente, cheia de famílias destruídas pelo ódio e pelo ressentimento. O mundo está cheio de conflitos. Há muros de inimizades entre as nações.

Visitei um observatório na Coreia do Sul que mostra a dramática realidade das feridas criadas pela guerra entre as duas Coreias. Dois países formados pelo mesmo povo, rasgados ao meio, divididos pela parede da inimizade, em que muitos pais estão contra os filhos, filhos contra os pais. Ainda hoje há muitas pessoas separadas pelos muros da intolerância, do ódio e do ressentimento. Os problemas emocionais se agravam a cada dia. Os hospitais estão cheios de pessoas com doenças psicoemocionais. As pressões da vida pós-moderna têm levado as pessoas cada vez mais para o estresse, a angústia e a depressão. Neste mundo ferido e doente, o perdão é o caminho da cura. O perdão é a terapia da alma. O perdão é a cura das emoções. O perdão é a resposta de Deus para os conflitos humanos.

Sua opinião é importante para nós.
Por gentileza, envie-nos seus comentários pelo e-mail:

editorial@hagnos.com.br